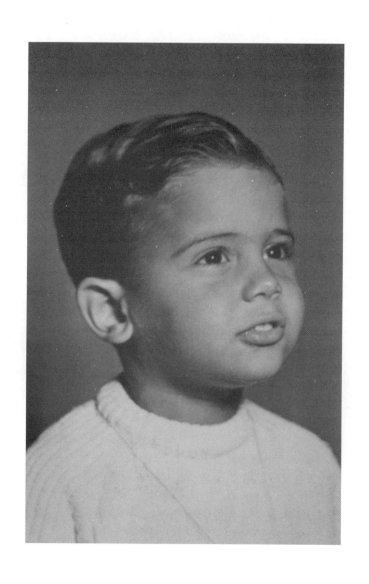

O tempo não para

Viva Cazuza

Lucinha Araújo

Depoimento a Christina Moreira da Costa
Colaboração de Maria Lúcia Rangel

Editora Globo

A todos que tiveram suas vidas abreviadas pelo HIV; ao brilho dos olhos de Cazuza que por meio da retina de cada criança e adolescente da casa de apoio reflete esperança e expectativa; a João, meu marido, que me dá forças nos momentos em que fraquejo; à dra. Loreta Burlamaqui que nos acompanha e socorre, em casa e na Viva Cazuza; à Christina Moreira da Costa, minha parceira em mais essa empreitada; aos portadores que se superam diariamente para conviver com a doença e àqueles que, contra tudo e contra todos, continuam lutando por esta causa.
A realidade é mais fantástica do que a ficção.

LUCINHA ARAÚJO

À Lucinha Araújo, agradeço o presente de ter me permitido conviver com a beleza da diversidade e das diferenças e interferir, mesmo que minimamente, em suas agruras. Tenho muito orgulho de fazer parte desse show.
À Loreta Burlamaqui, minha companheira de todas as horas, e à equipe da Viva Cazuza que comigo arregaça as mangas e põe a mão na massa.

CHRISTINA MOREIRA DA COSTA

AGRADECIMENTOS

George Israel
Guto Goffi
José Ezequiel Neves (*in memoriam*)
Ney Matogrosso
Nilo Romero
Roberto Frejat
Sandra de Sá
Serginho Dias

E também

Clara Maria Fernandes
Guttemberg Lima Rosa
Maria Beatriz Costa
Pedro Chicri Carvalho
Silvia Maria Ventura Mendel

Prefácio

Um filho não se conjuga no passado. Ele não "foi", ele "é", ele "está" sempre no tempo presente e permanece intacto, por mais que os dias e os anos tenham passado, por mais que as experiências vividas continuem transformando nosso corpo e alma. O tempo que dissolve e apaga tudo o que existe não tem poder nenhum sobre esse amor capaz de recriar e manter vivo o que a morte tomou de nós.

    A Sociedade Viva Cazuza foi a maneira bela e generosa que Lucinha encontrou de recriar Cazuza. Não é fácil conviver com a circunstância que nos causou a perda de um filho. Muita gente não suporta. Se afasta de tudo e qualquer coisa que possa trazer lembranças. Mas não Lucinha. Ao se dedicar às crianças com AIDS, ela decidiu revisitar, dia após dia, cada etapa do que chamou "amputação da alma". Dores de um novo parto: seu Cazuza nasce outra vez em cada uma dessas crianças condenadas ao abandono que ela acolheu, velou e acompanhou crescer. Seu Cazuza vive nesses meninos que, levados por sua mão maternal, estão vencendo a luta que ele perdeu.

Neste livro, Lucinha compartilha conosco os seus sentimentos. Nos leva a conhecer o cotidiano da Sociedade, os relatos comoventes das histórias de vida de suas crianças e as dificuldades que teve e tem que enfrentar para manter em pé esse projeto admirável, que se tornou referência no enfrentamento da AIDS e dos preconceitos que a cercam. Lucinha, que era mãe só de Cazuza, hoje tem muitos e muitos filhos.

É, as mães são teimosas. Se não se intimidam diante da vida para proteger suas crias, muito menos se intimidam diante da morte. E é isso que Lucinha faz quando transforma sua maior dor em sorrisos, esperanças e projetos de vida para tantas crianças que, sem ela, não estariam mais neste mundo!

Viva Cazuza!

GLÓRIA PEREZ

APRESENTAÇÃO

Pensei em escrever este livro por considerar que alguns fatos de minha experiência poderiam ser interessantes a alguém. Depois da morte de Cazuza, histórias maravilhosas me aconteceram na instituição que leva o seu nome, e achei que deveria compartilhá-las com o maior número de pessoas possível.

Não que eu tenha superado a perda de meu filho, acho que essa dor mãe nenhuma supera, mas aprendi a conviver com ela e tirar o melhor proveito desse sofrimento, transformando-o em algo útil. Não me tornei uma pessoa melhor, apenas uma pessoa diferente, com prioridades diferentes. Continuo cheia de defeitos: autoritária, mandona, controladora, impulsiva, ciumenta, raivosa.

Gosto de tudo o que Caetano Veloso escreve e canta, mas há um verso da canção "Dom de iludir" que me toca especialmente. É quando ele diz que "cada um sabe a dor e a delícia de ser o que é". Verso que muito me ajudou a compreender que, ao nos aceitarmos e aceitarmos a nossa vida, é possível viver com um pouco de paz.

Prazer e dor

As lembranças de Cazuza se tornaram, paradoxalmente, fonte de prazer secreto, mas também de muita dor. É que nunca pensamos em nossa própria morte. E a cultura ocidental simplesmente a ignora. A morte de um filho, então, é totalmente impensada, não cogitada. Alguma coisa comparável à amputação da alma. Por isso vivo assim, inventando motivos, razões para seguir em frente.

Continuo pensando no porquê de meu filho ter ficado doente quando tantas outras pessoas como ele fizeram sexo sem preservativo e usaram drogas, e não ter conseguido sobreviver quando tantas pessoas vivem infectadas há vinte anos ou mais. É claro que sinto tristeza e raiva, para além de alimentar um sentimento de injustiça, que me levam a me trancar muitas vezes no banheiro para chorar, quando não choro na frente de todo mundo, às vezes em rede nacional. Não tenho esse tipo de pudor.

No dia em que Cazuza morreu, 7 de julho de 1990, o tempo estava nublado e abafado. Ou pelo menos me parecia assim. Faltava-me o ar, e tive a sensação de que o céu havia se fechado e desabado sobre mim. Vi, pela última vez, o corpo magro de meu filho consumido pela doença, inanimado sobre a cama. Como as crianças que acreditam em Papai Noel, eu acreditava, todos acreditávamos, que um milagre pudesse acontecer.

Um imenso vazio e a sensação de amputação marcaram minha existência nos dias e nos meses que se seguiram à sua morte. Alheia à vida, concentrei-me na dor.

No dia 17 de outubro fui à Praça da Apoteose, onde vários artistas prestaram uma homenagem a Cazuza.

"Vi, pela última vez, o corpo magro de meu filho consumido pela doença, inanimado sobre a cama. Como as crianças que acreditam em Papai Noel, eu acreditava, todos acreditávamos, que um milagre pudesse acontecer."

Maria Lucia Rangel, Cazuza e Lucinha

Como tudo começou

Viva Cazuza — faça parte desse show. Assim foi batizado o tributo que reuniu, entre outros, grandes nomes da música popular. Além dos Barões, é claro, estavam lá Ney Matogrosso, Marina Lima, Lulu Santos, Bebel Gilberto, Fagner, Emílio Santiago, Leo Jaime, Sandra de Sá, Os Miquinhos Amestrados, Kid Abelha e Baby do Brasil. A noite, nublada e fria, terminou com Renato Russo cantando "Brasil" acompanhado de outros artistas e da imensa plateia.

Decidimos que a bilheteria do show seria doada a alguma instituição que tratasse os portadores do HIV. Eu, João e alguns artistas batemos o martelo. O dinheiro iria para o Hospital Universitário Gaffrée e Guinle, referência em AIDS na época. Procurei o dr. Luiz Carlos de Brito Lyra, que já conhecia, para dar a notícia e combinar uma data para a entrega do cheque.

Era apenas isso.

Eu iria ao hospital, entraria na sala do diretor e entregaria o cheque. Terminado o ritual, voltaria para casa e me dedicaria, exclusivamente, a lamber as feridas.

No dia marcado, reuni as forças que me restavam e fui. Apesar de Cazuza nunca ter se tratado no Gaffrée, respirei fundo antes de entrar no hospital. Temia que o ambiente, o cheiro, os sons de dor e de sofrimento me fizessem lembrar meu filho, e eu já havia sofrido o suficiente. Não havia, em mim, mais espaço para a AIDS, palavra que me dava arrepios.

Doce engano.

Um encontro definitivo

Armada, por um lado, e vazia por outro, cruzei os portões do hospital em 1990. A arquitetura do Gaffrée, com a imponência de um tempo que não existe mais, e a multidão de pacientes desolados à espera de atendimento, foram me tirando o chão. Só pensava em entregar o cheque e acabar logo com aquilo. Mas, na sala de espera do diretor, vi-me obrigada a permanecer ali por alguns minutos. O que iria dizer já estava ensaiado. Imaginei que mencionariam a importância da luta de Cazuza e quanto ele representava para todos os pacientes. Afinal, meu filho foi a primeira pessoa famosa a revelar ao Brasil que era HIV positivo.

No início dos anos 1990, o preconceito era muito maior. A ignorância a respeito das formas de transmissão do vírus também. E o diagnóstico era sinônimo de pena de morte. Muitos, mas muitos pacientes, viam-se abandonados pelas famílias e eram largados em hospitais que não queriam atendê-los. O medo era comum a todos: profissionais de saúde, parentes e leigos.

Por muitos anos, ouvi pacientes contarem da importância de Cazuza ter vindo a público dizer que era HIV positivo. Se Cazuza podia ter aquela doença, conviver com a família e os amigos, então eles também podiam. E foi essa atitude que lhes permitiu tomar coragem e contar aos parentes. Alguns, infelizmente, foram mandados embora de casa e perderam amigos.

Cazuza, como referência, também teve seu lado negativo. Quando morreu, muitos doentes perderam a esperança, já que ele era uma espécie de símbolo da luta e da perseverança. O raciocínio era simples: se o artista, que tinha acesso a tratamento e a remédios modernos morreu, como eles sobreviveriam?

Cazuza foi vítima da primeira leva de contaminados. Provavelmente, conviveu com a doença muito tempo sem apresentar sintomas. Quando a AIDS se manifestou, sabia-se muito pouco sobre ela, e praticamente não existiam tratamentos nem remédios. Só o AZT era usado em doses cavalares, causando anemia profunda e inclementes doenças oportunistas.

Tão logo os médicos Carlos Alberto Morais de Sá e Luiz Carlos de Brito Lyra me receberam, apresentei-me e tentei dar início ao discurso que havia trazido de casa, devidamente ensaiado. Mas fui subitamente interrompida e informada de que somente o dinheiro era pouco. Eles ressaltaram a importância da doação aos pacientes, mas foram claros: precisavam de mais, queriam mais. Queriam o meu trabalho.

Sem saber o que responder, fiquei alguns segundos calada. Então, o dr. Lyra me disse...

"Olha, Lucinha, o Brasil acompanhou o sofrimento do Cazuza e é testemunha de sua força ao lado dele. Você também se tornou um símbolo da luta contra a AIDS. Precisamos de você nessa batalha, você não pode abandonar essas pessoas agora."

Meio atônita, pega de surpresa, sem saber exatamente o que estava fazendo, aceitei.

Não tinha a menor ideia do que faria, muito menos de como faria. Resolvi marcar outro encontro, talvez pensando em ganhar tempo para inventar uma desculpa e recusar o convite. O tempo que imaginei durou pouco. Passados dois dias, recebi um telefonema do dr. Carlos Alberto me pedindo para ir ao hospital. Era uma conversa sobre as prioridades, os primeiros passos. Marquei a data e fui.

Havia decidido fazer tudo o que pudesse. Só não queria contato com os pacientes, porque imaginava que seria uma espécie de videotape de minha vida, que reviveria todo o sofrimento. E disso, sinceramente, julgava não ser capaz.

Optei por ajudar o hospital na compra do AZT, caríssimo, o antirretroviral mais usado na época e inexistente na rede pública. Somente uma pequena parcela dos pacientes, todos abastados como Cazuza, tinha condições de comprar.

Imediatamente, pensei em investir os direitos autorais de Cazuza na compra do remédio, mas logo percebi que nem só de antirretrovirais as pessoas sobreviviam. Sou ansiosa e não gosto de ficar enrolando. Para mim, tudo tem que ser resolvido rapidamente.

Não consegui fugir dos pacientes por muito tempo. E pensava que não poderia ser tão covarde assim. Afinal, eram eles que estavam doentes. Qual, então, a razão de meu medo? Era impossível sofrer mais do que já havia sofrido. Comecei a me sentir mesquinha, pequena mesmo. E me lembrei de que Cazuza havia sido tão corajoso!

Um dia, entrei no elevador do Gaffrée e encontrei uma pessoa conhecida. Perguntei como estava, e ela respondeu que estava melhor agora, depois de ter me visto. Foi um encontro definitivo. Percebi a importância de minha simples presença. Como era bom para aquelas pessoas abandonadas uma palavra de carinho, um pouco do meu tempo. Viam-me como alguém que olhava por elas. Percebi também que tanto para elas como para mim o contato era enriquecedor. Passei a me sentir mais útil, a fazer diferença em suas vidas, e elas passaram a fazer diferença na minha.

Os hospitais públicos, o Gaffrée em particular, eram carentes de tudo — chegava a faltar soro e antibióticos, além de leitos para os pacientes. Algumas enfermarias estavam em péssimas condições, e os doentes morriam em escala progressiva.

Os pés-direitos altos com tinta descascada, o chão riscado, as camas velhas com lençóis puídos compunham um cenário desanimador. Além das luminárias de luz fria sem lâmpadas, banheiros com pias manchadas de ferrugem pingando há anos, azulejos quebrados, o boxe do chuveiro totalmente aberto, encharcando o banheiro a cada banho, faziam aumentar o quadro de desolação dos pacientes.

Sempre achei que limpeza, arrumação e ambiente bonito, ou pelo menos harmonioso, contribuem para diminuir o sofrimento. Uma vez que a AIDS não tinha cura e as perspectivas não eram boas, julguei que, se pudesse oferecer um pouco de conforto e melhorar o aspecto de tudo, daria dignidade aos últimos momentos daquelas pessoas.

Era um pensamento recorrente: morrer com dignidade.

Ouvia com frequência médicos e enfermeiras comentarem que o paciente do leito um havia morrido naquela noite. Ou que o paciente do leito cinco também havia morrido de manhã — e assim sucessivamente. Ficava apavorada, e tentava a todo custo me manter o mais distante possível, fingindo não ter ouvido, como se pudesse ignorar o que estava acontecendo.

Acho que minha mania de arrumação e de limpeza é uma forma de tentar fugir das coisas, de arrumar o que não pode ser arrumado, o que não tem conserto. Por isso, foquei na reforma da décima enfermaria, específica para pacientes com AIDS. Também banquei a compra de remédios e a realização de exames laboratoriais.

Sempre gostei de fazer obras e reformas. Em minhas casas, fiz várias. Uma obra num hospital público, no entanto, é completamente diferente. Em primeiro lugar, a decisão não era minha. Tinha que apresentar uma proposta formal, um projeto, e, se aceito, iniciar os trabalhos de acordo com a orientação da diretoria do hospital.

Entrei em contato com o Tom, um engenheiro amigo que trabalhava na Som Livre, empresa presidida por meu marido. Tom se prontificou a ajudar nas horas vagas. Marquei uma reunião com ele e o médico, quando analisariam as necessidades e, a partir daí, fariam as plantas, contratariam um empreiteiro e supervisionariam os trabalhos que durariam cerca de dois meses. Dr. Carlos Alberto, responsável pela enfermaria, deu-me carta branca, e pudemos trabalhar sem dificuldades.

Sintonia fina

Enquanto minha atuação junto ao hospital se restringiu à compra de medicamentos e ao pagamento de exames não tive problemas.

Ia ao hospital em dias alternados, visitava os pacientes, entregava os remédios e voltava para casa. Nessa época, conheci alguns voluntários que se dispuseram a me ajudar. Mas logo percebi que não conseguiria auxiliar informalmente os pacientes, e a equipe médica sugeriu que fundássemos uma ONG, porque eu tinha o dinheiro do Cazuza para investir. Fui apresentada a um advogado, primo do dr. Lyra. Nos reunimos em minha casa e traçamos as bases do que a ONG deveria ser.

Como todo o trabalho teve origem no show *Viva Cazuza*, batizamos a ONG com esse nome. Eu, como presidente; Lilibeth Monteiro de Carvalho (amiga de meu filho e até hoje uma das heranças queridas que recebi dele), como vice-presidente; e João, meu marido, amigos e médicos do Gaffrée, como diretores.

Em março de 1991 já estávamos registrados no Cartório de Pessoas Jurídicas, e a Viva Cazuza passou a existir legalmente. Não tinha a mínima ideia do que isso significava, e essa ignorância foi a minha sorte. Às vezes, tenho a impressão de que no Brasil as pessoas só iniciam qualquer coisa por falta total de conhecimento. Se naquela época eu soubesse da lista de deveres, de todos os entraves burocráticos e de nossa falta absoluta de direitos, talvez não tivesse insistido na Sociedade.

Sempre penso nisso. Como é possível roubarem tanto se para recebermos míseros reais precisamos nos submeter à tomada de preços, a relatório de atividades, a cópias de notas fiscais, a cópias de cheques, à prestação de contas para órgãos públicos, cada qual com seus formulários, suas normas, suas datas. Às vezes, acho que gastamos mais tempo e energia cumprindo as normas do que atendendo, de fato, os pacientes. Não me importo de prestar contas, muito ao contrário. Mas fico impressionada com os milhões desviados que os jornais noticiam diariamente. É escândalo dos sanguessugas, das ambulâncias, das filantropias... Será que nunca pediram a essas pessoas os documentos que nos pedem? Como elas podem comprar dessa forma se temos que fazer tomada de preços até de tomate e alface?

De outubro de 1990 até 1992, a Sociedade Viva Cazuza trabalhou exclusivamente para o Hospital Gaffrée e Guinle. A carta branca do dr. Carlos Alberto era exclusiva para atuarmos na décima enfermaria. Não se estendia a outros setores do hospital.

Passei a ter grandes dificuldades para ajudar. Tudo o que eu queria fazer precisava de milhares de autorizações. Era muito cacique para pouco índio. A situação vinha me desagradando, até que culminou numa crise que incluiu falta de alimentos para os pacientes. Quando tomei conhecimento da situação, entrei em contato com a empresa Brazilian Food[1] e consegui a doação de quatro toneladas de alimentos não perecíveis. Quando o caminhão chegou com a comida ao hospital, fui informada de que a doação não poderia ser recebida, porque a direção alegou desconhecer a procedência dos alimentos.

---

1 A já extinta Brazilian Food era uma empresa de vale-refeição

Fiquei furiosa. Eu não sabia o que fazer com aquela montanha de comida, nem onde estocá-la. Decidi distribuir tudo na rua, na porta do hospital. Não foi fácil. Também doei para amigas que tinham creches e, na sequência, desliguei-me do Gaffrée.

O que mais me incomodou no período de convivência com os pacientes foi o tamanho do abandono. Muitos contavam ter pai, mãe, irmãos, tios, mas ninguém que os quisesse acolher quando tivessem alta. Não foram poucas as vezes que tentei convencer parentes a levar os doentes para casa. Achava muito triste o destino de morrer sozinho no hospital.

Não conseguia entender esse tipo de atitude, já que cada segundo de convívio com meu filho havia sido precioso. A convivência, para algumas pessoas, era sinônimo de mais uma boca para comer, ou alguém em casa para tomar conta, quando todos tinham que trabalhar. Sem falar do medo de contaminação.

Por ser uma doença que tem como fator de transmissão principal a via sexual, por ter sido detectada no início especialmente em homossexuais e por não ter cura, a AIDS era encarada de modo diferente de outras doenças crônicas. Socialmente, as reações foram: isolar os pacientes, tirá-los do convívio familiar, sumir com eles, negar que estivessem doentes, fingir que não existiam. Essas reações levaram ao surgimento, no Brasil, das chamadas casas de apoio, que nada mais eram do que abrigos específicos para pessoas portadoras do HIV. Visavam dar acolhimento, cuidado e dignidade aos relegados por suas famílias, àqueles que esperavam a hora da morte.

Em conversa com a dra. Loreta Burlamaqui, minha médica e de João, e que mais tarde viria a ser a diretora-médica da Sociedade Viva Cazuza, e com a dra. Betina Durovni, até hoje uma das conselheiras, decidi visitar as casas que já funcionavam em São Paulo. Conhecemos várias instituições, entre eles a Casa de Apoio Brenda Lee.

Cícero Caetano Leonardo, conhecido como Brenda Lee, era um travesti que, em 1984, acolheu em sua casa uma pessoa que havia recebido alta hospitalar e não tinha para onde ir. Assim teve início o trabalho de Brenda. Lembro que ela nos recebeu em seu quarto, todo decorado com plumas e paetês. Os outros cômodos foram transformados em moradia para os pacientes. Sua iniciativa pioneira foi de grande importância, pois abriu as portas para que outras pessoas desenvolvessem trabalho semelhante.

Nem todos os pacientes de Brenda estavam acamados. Ela nos contou que, por isso, tinha muito trabalho para pôr ordem no lugar. Para além de brigas entre os internos e relações sexuais entre eles, às vezes Brenda era obrigada a chamar a polícia para mediar conflitos. Foi ela quem me aconselhou a não trabalhar com adultos. Explicou que eu não seguraria a barra e sugeriu que eu visitasse a Casa Vida, para crianças HIV positivo, dirigida pelo padre Júlio Lancellotti. Fundada em 1991, a instituição mantém duas unidades para crianças e adolescentes na cidade de São Paulo, e serviu de inspiração para o projeto da casa de apoio desenvolvido pela Sociedade Viva Cazuza.

Quando cheguei à Casa Vida entendi imediatamente que aquele era o meu caminho. Percebi que, apesar do sofrimento, aquelas crianças eram o símbolo da esperança e da inocência, não carregavam o peso de terem passado do estado de saudáveis para o de portadoras de uma doença que não tem cura. Tinham a sabedoria de aceitar as coisas boas que a vida ainda podia lhes proporcionar, sem lamentar o que perderam. Avidamente, quis saber de tudo: como as crianças chegavam ali, onde se tratavam, que tipo de infraestrutura era necessária e quais profissionais deveriam atendê-las. Saí de lá decidida. Era aquilo que eu queria fazer. Montar uma casa de apoio pediátrico.

Já na viagem de volta ao Rio vim pensando em como poderia montar a casa. Dra. Loreta se dispôs a me ajudar. Só não atenderia as crianças, pois estava afastada da pediatria — atuava em clínica geral e em infectologia para adultos. Ao longo da participação no Conselho Estadual de AIDS fomos estreitando a amizade, e quando viajamos a São Paulo para conhecer as casas de apoio já tínhamos estabelecido uma sintonia fina. Por isso, foi fácil aceitar seu oferecimento. Fiquei muito empolgada com esse novo trabalho, e imediatamente passei a explicar quais eram as minhas pretensões a todo mundo. Todos concordavam que a ideia era ótima, mas se preocupavam, inclusive João, com o projeto, porque sabiam o que significava tocar uma casa desse tipo em termos financeiros.

Tinha comigo algum dinheiro dos direitos autorais de Cazuza, e isso já era um argumento forte. Achava, na época, que levantar fundos seria fácil, afinal, a causa era mais do que nobre. Minha situação econômica era estável e todo o dinheiro que arrecadasse seria investido nas atividades da Sociedade.

Um belo dia, Fafá da Paraíba, fã de Cazuza e tiete de Ney Matogrosso, apareceu com um cartão de visita do recém-empossado prefeito Cesar Maia. Ela o havia abordado na rua e perguntado por que ele não me ajudava, já que eu fazia um trabalho tão importante. O prefeito respondeu que eu nunca lhe havia pedido nada, mas que eu deveria procurá-lo.

Fiquei muito sem graça de procurar o prefeito, mas como um NÃO não dói, telefonei e agendei o encontro. Para minha surpresa, fui recebida sem nenhuma burocracia, na sede administrativa da prefeitura, no bairro da Cidade Nova, carinhosamente batizada pelos cariocas e pelos funcionários como Piranhão — referência à zona de meretrício que havia no local até meados do século XX. Nunca tinha ouvido alguém chamar a sede dessa maneira, e, para ser sincera, achei muito estranho, mas a AIDS me ensinou muitas coisas, entre elas conviver em paz com a diversidade.

Porque, no início, a epidemia atingiu grande número de homossexuais, foram desenvolvidos projetos específicos para eles, para profissionais do sexo e para travestis nos programas de prevenção. Nas reuniões com secretários de saúde, coordenadores de AIDS do Ministério da Saúde e representantes de secretarias de Saúde nos sentávamos à mesma mesa para discutir e levantar pontos de vista que melhor contemplassem cada segmento. Estou convencida de que esse foi um dos fatos que tornaram um sucesso o Programa de AIDS brasileiro. Dar voz aos diversos segmentos interessados no assunto, sem o preconceito tão presente na sociedade em geral.

Equilíbrio perfeito

Quando encontrei Cesar Maia, deixei claro que tinha dinheiro para manter o meu projeto da casa de apoio, mas que não tinha dinheiro suficiente para comprar ou alugar um imóvel, já que o custo era muito alto.

Fui muito bem recebida. O prefeito imediatamente providenciou uma lista de imóveis da prefeitura que poderiam ser cedidos à Viva Cazuza. Então, sugeriu que eu visitasse todos eles e escolhesse um.

Dizem que sou muito exigente — também acho —, e gosto de fazer o melhor. Em todos os imóveis que visitei sempre encontrava um defeito. A maioria deles ficava em prédios, alguns no Centro, e imaginei que não seria saudável abrigar crianças com AIDS onde não houvesse um local para tomar sol e brincar. Relatei esses problemas aos assessores do prefeito.

Dias depois, a primeira-dama, Mariângeles Maia, marcou um encontro comigo na sede da obra social da prefeitura, na rua Pinheiro Machado, em Laranjeiras. Quando cheguei, ela me mostrou a casa e disse que me cederia aquele imóvel, porque tudo o que era feito ali poderia ser feito em qualquer outro lugar. A mim caberia a parte da frente da casa, que eu dividiria com outra ONG, cujo trabalho também era voltado para crianças. Além dessa área, o segundo andar da casa dos fundos, o pátio e a garagem fariam parte da Sociedade Viva Cazuza. Fiquei maravilhada com a atitude de Mariângeles e com o espaço.

Seria perfeito.

Sou eternamente grata ao prefeito Cesar Maia e a sua esposa, Mariângeles, que possibilitaram a concretização de nosso projeto, e por terem acreditado em mim quando a Viva Cazuza ainda engatinhava.

Nunca mais tivemos do governo a mesma receptividade como a do início de nossas atividades. Depois de quase vinte anos de trabalho e do reconhecimento de nosso trabalho pelo Ministério da Saúde e por organizações internacionais, não temos o mesmo apoio que tivemos no início. Recebemos uma comitiva da Johns Hopkins University e, quando dei por mim, a pediatra americana estava aos prantos. Em conversa com a dra. Loreta, ela disse que estava muito emocionada com o que via, que havíamos conseguido o equilíbrio perfeito — tratamento de qualidade associado a amor e carinho. A médica explicou que, embora não entendesse português, podia ver nos olhos das crianças a felicidade delas.

Hoje, compreendo por que poucas pessoas se aventuram em atividades beneficentes. Com o imóvel cedido pela prefeitura, demos início à reforma da casa para que pudesse ser adaptada às nossas necessidades. Algumas pessoas aparecem em nossa vida e fazem diferença. Tinha a sensação de que circulava à minha volta uma energia mágica. Todo mundo que eu encontrava me ajudava de alguma forma. Era como se houvesse uma conjunção especial.

O nome de Cazuza sempre abria portas, e todos se compadeciam da minha dor. Todo mundo queria me ajudar porque vislumbrava que eu poderia realizar um trabalho digno. Como naquela época praticamente não havia tratamento, o auxílio era uma maneira de as pessoas participarem sem ter de conviver com o infortúnio.

Hoje, a AIDS não assusta tanto. Há quem ache até que ser contaminado não é um grande problema, basta tomar os remédios. Naquela época, o aspecto físico de um portador era marcante — ele não conseguia esconder sintomas como emagrecimento, mudança na textura do cabelo e no tom da pele. Mas a AIDS continua aí.

Os remédios, maravilhosos, proporcionam qualidade de vida, mas têm seus efeitos colaterais. É melhor tê-los e sobreviver, mas ainda assim é difícil conviver com a doença. As novas gerações, que iniciam a vida sexual agora, não viveram nem viram a explosão da AIDS, não têm consciência de que, entre meados dos anos 1980 e a primeira metade dos anos 1990, a AIDS tirou do nosso convívio artistas de cinema, televisão, cantores, compositores, artistas plásticos e escritores, deixando um rombo no cenário cultural do planeta.

O mundo perdeu o ator Rock Hudson em 1985; o pintor Jorge Guinle Filho em 1987; o ator Lauro Corona em 1989; o jornalista Ryan White, da rede de televisão ABC, Cazuza e o artista pop Keith Hering, os três em 1990; o líder da banda de rock Queen, Freddie Mercury, em 1991; o ator Carlos Augusto Strazzer; o bailarino Rudolf Nureyev e o autor do filme *And the band played on*, sobre o início da epidemia de AIDS, Randy Shilts, todos em 1993; a atriz Claudia Magno em 1994; o artista de rap Erick Wrifht em 1995; o jornalista e escritor Caio Fernando Abreu e o compositor Renato Russo, ambos em 1996; e a atriz Sandra Bréa em 2000, entre tantos outros.

Numa das reuniões do Conselho Estadual de AIDS, em conversa com a dra. Loreta, que na época coordenava a assistência e o treinamento em AIDS na Secretaria Estadual de Saúde do Rio de Janeiro, disse que precisava de uma secretária, porque a pessoa que trabalhava comigo havia se despedido por carta, depois de eu ter chamado a sua atenção. Como iria começar a casa de apoio, queria com urgência uma pessoa que fosse de confiança e que pudesse me ajudar nessa empreitada.

A dra. Loreta não pensou duas vezes. Disse que conhecia uma pessoa que era a minha cara e me mandou a Christina Moreira da Costa, que recebi na minha casa para uma entrevista. Christina achou pouco o que eu iria pagar e explicou que aquela não era sua área de atuação, uma vez que era jornalista e tinha experiência numa editora de livros. Propus que tentássemos, e, se ela gostasse, avisei que não se arrependeria. Ela começou a trabalhar no dia do meu aniversário, 2 de agosto de 1993, e estamos juntas, neste desafio, até hoje.

Deu muito certo.

Da janela do meu quarto vejo o Cristo Redentor. Cazuza passou seus últimos meses morando conosco e dormia no meu quarto, transformado em enfermaria com cama hospitalar, oxigênio, medicação venosa etc. Todas as manhãs, quando ia falar com ele, aproveitava para olhar pela janela e, em silêncio, pedir um milagre. Numa de suas músicas, "Um trem para as estrelas", Cazuza dizia que o Cristo estava de braços abertos sem proteger ninguém. Mas eu me agarrava a minha crença, abusava de preces e de promessas, principalmente para santa Rita de Cássia.

Herdei de minha mãe a devoção por essa santa e carregava sua imagem para todos os lugares aonde íamos. Até Cazuza, que nunca foi chegado a essas carolices, acabou se apegando à santa, ou melhor, acostumou-se com ela sempre por perto. Apesar de ter estudado em colégio de freiras e de ser de família católica, nunca fui uma pessoa muito religiosa. Mas guardo santa Rita como parte de minha criação e até hoje tenho sua imagem em minhas casas. No Rio, em Angra e aqui na Sociedade Viva Cazuza. O fato de não ter conseguido que ela e o Cristo Redentor salvassem meu filho não me tirou a fé. Vejo nas crianças da Viva Cazuza um milagre. Elas salvaram a minha vida, elas são a continuidade de Cazuza, que revive em cada sorriso, cada brincadeira, cada arte, cada sonho.

Isso é amor

Médicos, profissionais de saúde, militantes, todos que trabalhávamos com AIDS no início da epidemia tínhamos um sentimento de urgência. Eu me sentia como se estivesse participando de uma cruzada. Vivíamos intensamente 24 horas por dia, todos os dias. Eram reuniões, manifestações na porta de hospitais públicos que recusavam pacientes HIV positivos, entrevistas, denúncias, passeatas exigindo verbas do governo, vigílias, encontro com secretário de Saúde ladrão que desviava verbas, corrida atrás de remédios, milhares de ideias para campanhas de prevenção.

Foi uma época extremamente efervescente. Não podíamos parar um minuto. Como dizia José Stalin Pedrosa, parceiro e brilhante ativista do Grupo Pela Vidda do Rio, morto em 2000, era a rota do desespero. Eu queria me ocupar em tempo integral e, nesse vaivém, nesse corre-corre, fiz excelentes amizades. Alguns são parceiros até hoje. Outros já se foram, mas deixaram suas marcas: a combatividade, o desejo de mudar e a certeza de que juntos poderíamos dar nova cara ao futuro que se desenhava tão sombrio.

De acordo com previsões do Banco Mundial feitas nos anos 1990, o Brasil teria 1,2 milhão de pessoas vivendo com AIDS no ano 2000. Hoje, temos 600 mil portadores. Conseguimos com garra, determinação e trabalho conjunto de governos e sociedade civil um resultado reconhecido mundialmente.

Num dos encontros em Curitiba, José Stalin disse numa mesa de discussão que eu era a única pessoa contagiada pelo HIV e não contaminada por ele. Era assim que me sentia. É assim que me sinto.

Enquanto fazíamos a reforma no imóvel para a sede da primeira Casa de Apoio Pediátrico no município do Rio de Janeiro, a Viva Cazuza forneceu medicamentos para alguns pacientes e desenvolveu uma campanha de prevenção, veiculada pela televisão, em 1993.

"Isso é Amor" era o nome da campanha. Eram vários *spots*, todos com muita informação sobre medidas preventivas. Os textos foram feitos por médicos especialistas[1] e diversos artistas participaram gratuitamente — emprestaram seus nomes, suas imagens e sua credibilidade.

Tom Jobim, Leandro e Leonardo, Elba Ramalho, Chico Buarque, Ney Matogrosso, Frejat e Elymar Santos, entre eles. Cada um falava uma frase de uma mensagem de prevenção. Uma produtora, a Globotec, do nosso amigo Nelson Gomes, nos emprestou todo o equipamento para a gravação. Ana Arantes dirigiu e Bineco Marinho produziu. Não gastamos um tostão. Fizemos um trabalho com qualidade profissional e cumprimos o objetivo de transmitir uma mensagem direta, de fácil entendimento. No lançamento da campanha houve uma grande festa, os governos do estado e do município do Rio de Janeiro deram seu aval e a imprensa respondeu positivamente, dando maior visibilidade ao projeto.

O grande desafio foi conseguir espaço na programação das grandes redes de TV para inserção dos comerciais. A TV Globo, por meio de José Bonifácio de Oliveira Sobrinho, o Boni, se propôs a veicular desde que

---

[1] Dra. Betina Durovni, dr. Carlos Alberto Morais de Sá, dra. Loreta Burlamaqui, dra. Márcia Rachid.

fosse com exclusividade. E, mesmo assim, apenas por um mês. Depois conseguimos a adesão da TV Manchete e da Bandeirantes — mas somente a TVE, uma empresa pública, veiculou os anúncios por vários meses. Naturalmente ficamos frustrados porque julgávamos que a campanha era de utilidade pública.

Apesar de não termos gasto nada na campanha, a reforma da casa de apoio consumia nossas reservas rapidamente. Tivemos a ideia de fazer um leilão de artes plásticas para angariar fundos. Tão logo entramos em contato com os artistas, passamos a receber obras de Ângelo de Aquino, Rubens Gerchman, Carlos Scliar, para citar apenas alguns. Tínhamos um excelente material e conseguimos que o leilão fosse feito gratuitamente — refizemos, assim, o caixa da Viva Cazuza.

Amelinha Azeredo, amiga de Cazuza, propôs que seu pai, dono do Banco Universal, distribuísse boletos de contribuição para os correntistas no valor correspondente a dez dólares. Junto com o boleto vinha uma carta, escrita pelo pai de Amelinha, explicando o que era a Sociedade Viva Cazuza. No primeiro mês foi o maior sucesso. Mas, com o passar do tempo, as doações foram diminuindo e depois de alguns meses o custo era maior que a receita. Suspendemos esse tipo de arrecadação.

Um dia, meu marido estava no elevador do prédio onde moramos e um vizinho o abordou, dizendo que não poderia mais contribuir conosco porque ajudava outra instituição. João ficou uma fera com a mesquinharia e com a abordagem, porque, se o vizinho não queria mais contribuir, não era preciso se desculpar, bastava rasgar o boleto.

Várias vezes fui convidada a participar de projetos de prevenção em municípios do estado do Rio de Janeiro, que também buscavam diminuir o preconceito contra os doentes. Quem estava no comando desses municípios julgava que minha presença atrairia público e abriria a possibilidade de médicos trabalharem melhor a prevenção e o preconceito. Minha presença e a da dra. Loreta, na época, eram um acontecimento. Ávidas por informação, todas as pessoas nos ouviam e somente no final dos encontros colocavam suas dúvidas. Não foram poucas as vezes em que contavam ter um parente contaminado na família.

> "Montamos uma equipe composta de voluntários, sendo a área de saúde encabeçada pela dra. Loreta, diretora-médica, que comandava psicólogos e psiquiatras."

Mas todos queriam falar de Cazuza. Descobrir detalhes de sua vida, como ele havia se contaminado, o que eu havia sentido quando soube que ele era HIV positivo. Foram tantas perguntas que cansei, a ponto de ter tido vontade de dizer que morri de rir quando tomei conhecimento de que Cazuza estava doente. O que, afinal, as pessoas esperam ouvir quando fazem uma pergunta dessas?

A rotina na reforma da casa não era calma. Chegavam sacos e sacos de areia, cimento, ferro, telhas, fios, pisos que eram descarregados no pátio. Pensei que não haveria problemas, mas os diretores e os funcionários da ONG que dividiam o espaço conosco estacionavam seus carros, sem cerimônia, em cima do material descarregado, dificultando o trabalho. Primeiro pensei que era sem querer, depois me pareceu proposital ou que, pelo menos, se tratava de total falta de respeito para com o trabalho alheio, uma vez que esses fatos sempre se repetiam.

Os funcionários reclamavam diariamente, até que um dia, enlouquecida, liguei para o dr. José Paulo Junqueira Lopes, diretor de Patrimônio da prefeitura, que foi curto e objetivo: "Lucinha, o pátio é seu, se estão atrapalhando não deixe mais que estacionem lá". Segui o conselho, mas, àquela altura do campeonato, eu sabia que haveria retaliação. Eles ficaram possessos, e, o que no início era uma pequena implicância, virou um martírio. Chegaram, inclusive, ao despropósito de fechar o registro de água à noite, sem que percebêssemos, quando estávamos com a casa cheia de crianças. Essas brigas diárias se estenderam por quase dois anos.

Montamos uma equipe composta de voluntários, sendo a área de saúde encabeçada pela dra. Loreta, diretora-médica, que comandava psicólogos e psiquiatras. Também havia uma equipe contratada com uma gerente, uma supervisora, quatro auxiliares de enfermagem, pessoal de cozinha, lavanderia e limpeza.

Como o trabalho propriamente dito ainda não havia começado, e estávamos apenas na fase de organização, acatamos a sugestão de uma colaboradora de passar por um treinamento com o dr. Alexandre Bhering, especialista em psicodrama. Essa técnica nos possibilitou montar nosso organograma e definir as responsabilidades e as funções de cada integrante da equipe. Incluía também criar vivências para a chegada da primeira criança, para lidar com o seu adoecimento, a sua morte, o preconceito que sofreria — situações que estavam na base do trabalho que desenvolveríamos. Um aspecto curioso: eu não conseguia me assumir como a responsável pela instituição. Numa das vivências, Alexandre pediu que cada um de nós desenhasse o organograma de acordo com a sua percepção, e eu me coloquei como curinga.

Calmamente, Alexandre lia e comentava cada um dos organogramas até que chegou ao meu e disse: "Lucinha, pense bem, como você pode se colocar como curinga se o motivo desse trabalho é exclusivamente por sua causa? Nada existiria sem você. Queira ou não, você é a cabeça desse trabalho, e ele só vai funcionar bem se você assumir seu papel".

Ainda nas reuniões do Conselho Estadual de AIDS, conheci o dr. Álvaro Matida, um nissei que fumava e trabalhava com o mesmo entusiasmo. Lembro de seus dedos amarelados, de ele tentar organizar um programa numa infraestrutura viciada, repleta de desvios de verba, falta de vontade política e descaso. Ele conseguiu reunir uma equipe motivada e competente, e foi a primeira pessoa a me dizer que poderia tentar obter uma verba pública por meio de um projeto encaminhado ao Ministério da Saúde, que havia assinado recentemente um contrato com o Banco Mundial para o combate à AIDS.

Como eu nunca havia feito projeto algum, e ainda não contava com quem pudesse fazer isso para mim na Sociedade Viva Cazuza, as doutoras Loreta, Vanja Ferreira e Betina Durovni assumiram a responsabilidade pelo primeiro projeto que desenvolvemos, cujo objetivo era equipar a casa de apoio.

No fim de julho de 1994, tínhamos uma casa reformada, adaptada e equipada, uma equipe de voluntários, mas ainda não tínhamos uma criança. Achei a situação muito estranha, alguma coisa devia estar errada. Por que não nos mandavam uma criança? Imaginei que talvez os hospitais da rede pública e os abrigos ainda não soubessem de nossa existência. Fizemos contato com os serviços sociais, até que fui informada de que um abrigo público em Santa Cruz atendia uma criança HIV positivo. Eu e Christina, que se tornaria meu braço direito, decidimos ir lá buscá-la.

Estava envolvida de corpo e alma com o trabalho, tentando apagar o sofrimento de minha vida. Acho que João, à maneira dele, procurava superar a perda e a dor. Eu falo sem parar no Cazuza. João se retrai, prefere sofrer calado, sozinho. Muitos casais que perdem filhos não resistem à dor e se separam. Nós passamos por uma crise, como era de esperar, mas acho que a lembrança de Cazuza e o amor por nosso filho nos uniram. Eu sou o porto seguro das crianças na Sociedade Viva Cazuza. João é meu porto seguro. Apesar de não ter o envolvimento que eu tenho com o trabalho, ele está sempre presente nas horas difíceis. É nosso consultor e tesoureiro, e nos ajuda quando precisamos. Como tem formação de empresário, sua visão objetiva é fundamental para o equilíbrio do projeto. Eu é que sou totalmente emocional.

Zé Luis, Cazuza, Lobão e Marina Lima

Sonho na praia

Agora que a vida me ensinou a perceber a grandeza das coisas aparentemente pequenas, aproveito o máximo que posso, aqui em Angra dos Reis, na praia, e em cada segundo de minha convivência com as crianças.

Viemos passar o dia. Mais um dia maravilhoso. Mesmo com o tempo nublado, montamos na areia uma barraca com direito a refrigerantes, salgadinhos e sanduíches. Sem falar dos mergulhos, das boias, do filtro solar, da água nos olhos, dos montinhos de areia e dos buracos para preencher com água do mar.

É tudo tão bom, é um sonho tão real que não hesito em fechar os olhos, viajar no tempo e voltar ao Arpoador, em algum verão do início dos anos 1960. Naquele tempo, o Rio de Janeiro era bem calmo, as crianças iam sozinhas à escola e ninguém se preocupava com assaltos, sequestros e balas perdidas.

Com muita liberdade, foi nesse Rio mítico, paradisíaco mesmo, que

Cazuza cresceu. A praia de Ipanema era uma espécie de quintal. Dele e de muitas crianças. Íamos sempre de manhã. Sei que muito da personalidade de meu filho se formou a partir do gosto pela praia, do hábito de olhar o mar e contar as ondas antes de mergulhar, de bater os pés na calçada para tirar a areia e de tomar picolé, comer biscoito Globo e beber mate.

Nossa praia de águas geladas no verão e mar forte termina na pedra do Arpoador, um conjunto rochoso que se projeta mar adentro, proporcionando uma vista linda de toda Ipanema e um pôr do sol espetacular. Além, é claro, de ser desde sempre o *point* da garotada que queria pegar onda, virar surfista e curtir o visual.

A mim me bastava, embora na época ainda não tivesse a dimensão exata do que se tratava, ficar na praia com Cazuza, brincar de fazer montinho ou buraco para encher com água do mar. E ouvir seu risinho quando a onda chegava. É raro nos darmos conta de que esses detalhes e esses pequenos prazeres são a verdadeira felicidade. Tão pouco e tão bom...

Depois, Cazuza se tornou o que chamo de carioca legítimo. Despojado, bronzeado, descontraído, brincalhão, amoroso. Adorava sandálias de dedo, short, calça jeans. Convivia em harmonia com o luxo e o lixo. Tinha amigos pobres e amigos ricos. Frequentava botequins e restaurantes de luxo com a mesma propriedade. Era desinibido, mas morria de vergonha quando eu falava alto em local público. Teve vários parceiros sexuais, mas não admitia brincadeira comigo.

Esse era o meu filho!

Adulto, permaneceu fiel ao Arpoador. Agora com a sua turma. Nunca surfou, mas aquele canto de praia era o lugar onde a galera fumava maconha. Só soube disso muito tempo depois, quando ia lá admirar o mar e assistir ao pôr do sol. Também no Arpoador se ergueu, pela primeira vez, a lona do Circo Voador.[1] Nem preciso dizer que Cazuza encontrou sua turma.

O tempo não para. Mas como quis que tivesse parado vinte anos atrás. Quis congelar os anos 1980, aquela geração dourada, tão cheia de

---

1 Local de shows e peças de teatro alternativos, berço de toda uma geração de atores e músicos.

promessas. Diretas Já, Anistia, exposição no parque Lage, Verão da Lata,[2] Rock in Rio. Com Cazuza e por intermédio dele, vivi todas essas emoções. Como fui feliz e estive orgulhosa de seu sucesso. Dor de cabeça e preocupação com ele não me faltaram. Cazuza aprontou muito e me levou à loucura muitas vezes. E como eu queria ainda me preocupar com ele...

De volta a Angra neste verão de 2010, lentamente abro os olhos e reencontro meu filho nas mãozinhas, nos lábios roxos de tanto ficar dentro d'água, nas gargalhadas gostosas das crianças da Sociedade Viva Cazuza. Finjo que o tempo não passou e me permito pequenas fugas. Ponho as crianças no colo, brincamos, tomamos Chicabon. E prolongo esse dia ao máximo, porque agora eu sei que esses prazeres existem para ser prolongados.

---

2 No verão de 1988, na costa do Rio de Janeiro e de São Paulo, um barco lançou ao mar um carregamento de latas de maconha quando descobriu que a Polícia Federal estava em seu encalço.

Anjo da guarda

Tinha o hábito de ir ao cemitério uma vez por semana. Levava flores ao túmulo de Cazuza, mandava limpar, e ficava lá conversando com meu filho. Achava que, se estivesse em frente ao túmulo, ficaria mais próxima dele. Ainda precisava do contato físico com meu filho, de alguma coisa que o simbolizasse. Por mais mórbido e estranho que possa parecer, foi lá no cemitério São João Batista que encontrei esse consolo, essa paz. Com o tempo, fui criando outras formas de me relacionar com ele. Converso com Cazuza diariamente, conto para ele o que fiz, onde fui, como se ele ainda estivesse entre nós.

Um dia, ouvi no rádio do carro uma cantora nova, uma voz agressiva, cantando "quem sabe ainda sou uma garotinha..." Ao fim da música, o locutor disse: "Malandragem", com Cássia Eller, de Cazuza e Frejat. Fiquei incrédula por uns segundos. Como poderia ser de Cazuza se eu não conhecia aquela música? Liguei imediatamente para o Frejat e fui logo dizendo: "Aqui é Lucinha Araújo, acabei de ouvir no rádio uma música, 'Malandragem', do Cazuza. Que música é essa, Frejat, que eu não conheço? Por que você não me mandou essa letra? Você sabe que guardo tudo o que era do meu filho".

E ele me disse: "Ah, Lucinha, essa música nós fizemos há um tempo e mandamos para a Angela Ro Ro, mas ela devolveu e disse que não iria cantar essa história de garotinha, que não combinava com ela. Então, ficou aqui comigo e agora achei que seria perfeito para a Cássia".

Por alguns minutos fiquei uma fera, mas depois me lembrei de que Cazuza havia dito que o que quer que acontecesse, ele estaria sempre ao meu lado. Ouvir Cássia Eller cantando "Malandragem" foi como se ele tivesse retornado, com seu humor ácido e ao mesmo tempo com aquela doçura que lhe era peculiar.

Cássia se tornou a personificação de Cazuza, foi a mensageira de seu retorno. Não resisti à tentação de ir correndo ao cemitério contar ao Cazuza que havia acabado de conhecer uma cantora nova, maravilhosa, com uma voz forte, e que estava fazendo o maior sucesso com uma música dele.

Tempos depois fui a um show de Angela Ro Ro e, lá pelas tantas, ela contou a história que Frejat havia dito ao telefone. Bem escrachada, ao estilo Cazuza, Ro Ro disse que tinha sido muito burra de não gravar "Malandragem", o próximo número do show, e que agora tinha que dormir com a dor de cotovelo de ver outra pessoa estourar nas rádios com o sucesso que havia recusado.

Acostumei a me relacionar com Cazuza dessa forma, conversando com ele, pedindo sua ajuda para que me mostrasse o caminho. Sempre recebo um sinal. É uma música que toca no rádio, alguém que me faz uma proposta nas horas de dificuldade financeira da Sociedade Viva Cazuza. Tenho a nítida sensação de que ele está ao meu lado como se fosse meu anjo da guarda. Gosto de acreditar nisso. Ele é meu refúgio. Por esse motivo, a Casa de Apoio da Sociedade Viva Cazuza é repleta de fotos suas, em todos os cômodos. Acho que ele protege as crianças e os adolescentes. Quando comecei a reforma da casa cedida pela prefeitura, pensei em pintá-la de azul e amarelo, que também é o nome de uma música de Cazuza. Além, é claro, de achar as cores lindas e alegres. Não queria qualquer coisa que trouxesse a lembrança de doença, tanto que as auxiliares de enfermagem não usam branco. Trabalhamos primordialmente a saúde. Não a doença.

Cazuza e Perfeito Fortuna

Sem papas na língua

O governo brasileiro, primeiro no mundo a fornecer assistência gratuita a todos os pacientes, disponibiliza na rede pública mais de dezessete antirretrovirais, que proporcionam qualidade e quantidade de vida a todos os que seguem o tratamento. Também foi feito investimento significativo no treinamento de médicos e de profissionais de saúde. Hospitais públicos criaram setores específicos para o tratamento, mas a AIDS ainda é, infelizmente, um fantasma que as novas gerações não percebem. Dois milhões de pessoas morrem por ano em todo o mundo em consequência da doença, segundo a Unaids.[1]

Dito assim, a impressão é de que tudo ficou muito fácil. Costumo repetir que o Brasil tem um grande programa de AIDS num dos piores sistemas de saúde do mundo. Continuamos brigando pela qualidade do

[1] Dados do Boletim Epidemiológico de 2007 da Unaids — órgão da ONU específico para AIDS com sede em Genebra, na Suíça.

atendimento, por uma oferta maior de leitos e de exames. Em 2008 e em 2010, farmácias de hospitais passaram a não ter, em seus estoques, alguns remédios, e, se não houver investimento no setor, corremos o risco de um grande retrocesso.

Além de não ter aptidão, jamais gostei de política. Sempre digo o que penso, não tenho papas na língua. Não sou, definitivamente, uma pessoa de meios-termos ou meios-tons. Minha vida sempre foi marcada por cores fortes. Quando entro numa briga é pra valer. Não sei dar a volta pelo outro lado, comer pelas beiradas.

Não tenho paciência para conversas infindáveis. Gosto mesmo é de arregaçar as mangas e pôr a mão na massa. Do contato direto com as pessoas. De ver os resultados imediatamente. Enfim, gosto do que é concreto.

No início da epidemia, quando fundei a Viva Cazuza, participei das reuniões no Conselho Estadual de AIDS. A união da sociedade civil foi fundamental para o estabelecimento e a solidez do Programa Nacional de DST/AIDS. Naquela época, a doença atingia um número considerável de artistas e de pessoas famosas, não só no Brasil, mas em todo o mundo. Esse fato deu visibilidade à AIDS e tudo o que cercava a doença: dificuldades de tratamento e preconceito.

Com a ajuda da imprensa, foi possível pôr a boca no trombone e cobrar uma resposta das autoridades. O Ministério da Saúde firmou contrato com o Banco Mundial para a implantação de um programa de treinamento de profissionais de saúde e assistência aos portadores.

Com a entrada de dinheiro, teve início as parcerias com as ONGs, ainda sob o comando brilhante da dra. Lair Guerra de Macedo Rodrigues, uma piauiense arretada, de inesgotável capacidade de trabalho, com coragem para enfrentar desafios. Betinho e Herbert Daniel eram companheiros nessa luta, acostumados a combater e a defender direitos. Ambos foram militantes e perseguidos políticos pela ditadura militar. Eles foram os fundadores da ABIA (Associação Brasileira Interdisciplinar de AIDS) e do Grupo Pela Vidda, do Rio de Janeiro. Daniel morreu em março de 1992 e Betinho, em agosto de 1997.

Como era previsível, recebemos denúncias indicando desvio de verbas destinadas ao combate à AIDS no estado do Rio de Janeiro. Chamamos a imprensa e batemos à porta do secretário de Saúde para pedir, além de explicações, a devolução do dinheiro. Nesse tipo de participação política sempre fui boa. Chamei o secretário de ladrão, comparei o roubo a um assassinato e disse que pessoas iam morrer e ele seria o culpado.

Para quem fugia dos pacientes, como eu, uma grata surpresa: eram eles, agora, que me traziam felicidade. Convivo diariamente com crianças e adolescentes. Gosto de passar as tardes conversando com eles, brincando, vendo a arrumação da casa, supervisionando os estudos, a limpeza, a cozinha. Quero saber de tudo e participar de tudo. Levo a sério o ditado popular: o boi só engorda sob os olhos do dono.

É curioso, engraçado mesmo. Não penso neles como pacientes. Não os vejo como pessoas com AIDS, apenas como crianças e adolescentes que estão ligados a mim pelo infortúnio que atingiu a minha vida e a deles. A grande maioria dos que estão abrigados na Casa de Apoio Pediátrico da Sociedade Viva Cazuza é órfã. Além de terem AIDS, todos sofrem de carência socioeconômica comprovada.

Às vezes me pergunto o que de melhor poderia ter feito de minha vida. Nunca fui pessoa de apreciar as tardes em almoços e em chás. Sempre fui uma mulher dedicada à família. Depois que Cazuza se foi, fiz das crianças a minha família. Brincamos, brigamos, saímos para passear, para almoçar fora e jantar, para ir ao teatro e a shows, para fazer muitas outras coisas. Fico bem no meio, entre mãe e avó, aquela que educa, mas também deseduca, porque faz as vontades, que partilha segredos. Afinal, nenhuma família é perfeita. E a nossa tem peculiaridades que deixam meu coração mais mole. É que as crianças nasceram sob condições desfavoráveis e, como não canso de repetir, carinho nunca é demais.

Zeca, Cazuza, Marina Lima e Flavio Colker

Bebês sob encomenda

Uma buzina insistente tocava no portão e o guarda municipal que estava naquele posto veio nos avisar que havia chegado uma ambulância do SUS.

Ao abrir as duas bandas do portão de ferro, pintado de branco, surgiu uma Kombi, daquelas velhas e barulhentas, branca, com uma faixa laranja onde se lia Ministério da Saúde — SUS. O motorista, um mulato baixo e forte, com um bíceps de fazer inveja a muito halterofilista, saltou e caminhou lentamente em nossa direção. Disse, com intimidade de um velho conhecido, que havia trazido a encomenda. Abriu a porta lateral do carro e vimos um bebê, de não mais que dois meses, amarrado à enorme maca. Ao seu lado, um enfermeiro que nos pareceu ter cara de preguiçoso, com uma pasta sebosa de documentos.

Ficamos atônitos aos nos dar conta de que o bebê era a encomenda à qual o motorista havia se referido. Logo nós, que na véspera, para buscar a primeira criança, havíamos providenciado bebê-conforto, chupeta, mamadeira, fralda, cueiro e enfermeira para nos acompanhar. O contraste entre a maneira de transportar as duas crianças foi chocante.

Christina, nossa gerente, aproximou-se do enfermeiro e pediu para ver os documentos necessários para recebermos a criança. Exame positivo para HIV e documento do Juizado de Menores autorizando a transferência. A princípio, era só.

Marcel era um lindo bebê negro, rechonchudo, de olhinhos negros como duas jabuticabas. Parecia mentira que aquele garotinho fosse entregue a alguém naquelas condições, como se nos estivessem dando um pacote.

Atitudes como essa eram frequentes. Nas outras vezes já não me espantava tanto, embora nunca tenha me acostumado com elas. Tínhamos agora dois bebês praticamente da mesma idade.

O primeiro, Newton, foi abandonado num abrigo público, um prédio grande, com vários dormitórios, cada um com capacidade para dez crianças, de acordo com a faixa etária. Havia também uma ala para mães adolescentes com seus bebês. De acordo com o relato do serviço social, o pai de Newton era catador de lixo e a mãe morava na Fazenda Modelo, onde a prefeitura abriga a população de rua.

Nosso pequeno estava numa cama, num canto, perto da janela. Ao chegar à casa de apoio, Newton foi imediatamente adotado por uma de nossas voluntárias. Ela embalava o menino o dia inteiro, queria ser responsável pelo banho, pela alimentação, pela medicação, enfim, por tudo. Sua obsessão pela criança começou a interferir negativamente no tratamento. Ela achava que ele tomava remédios demais e que, em vez de antirretrovirais, poderia tomar chás e vitaminas. O remédio para escabiose poderia ser substituído por um unguento feito por ela mesma. Chegou ao ponto de não querer que as auxiliares de enfermagem dessem os remédios prescritos pelos médicos.

A criança havia chegado com sarna, piolho, infecção no ouvido, herpes, pneumonia, teste positivo para HIV e, com apenas cinco meses, ainda estava com seu sistema de defesa debilitado, o que nos levou a tomar cuidados redobrados ante as atitudes da voluntária. No início, tentamos explicar que a AIDS era uma doença com a qual não podíamos brincar, que infelizmente os remédios caseiros não eram suficientes e que havíamos feito a opção de criar uma instituição baseada em tratamento científico e sob responsabilidade médica. Essa era a nossa proposta de trabalho.

A voluntária não ficou satisfeita com as restrições ao tratamento que propunha e, uma vez que não poderia cuidar da criança como queria, resolveu nos ameaçar, dizendo que faria uma denúncia junto ao Juizado de Menores. No final, acabou se afastando da casa, magoada.

Newton foi crescendo. Tinha um sorriso fácil, havia conquistado meu coração, o que não foi difícil. Marcel e Newton se desenvolveram juntos. Aprenderam a dar os primeiros passos na mesma época, ambos foram cercados de carinho. Marcel cresceu mais rapidamente. Sua linda pele negra reluzia. Ele tinha um apetite imenso, e adorava fazer bagunça. Em seus primeiros passos correu para o banheiro para mexer no vaso sanitário. Fazia beicinho quando queria alguma coisa. Parecia um pequeno Deus de ébano.

Entre o término da obra e a chegada da primeira criança, fomos obrigados a cumprir uma série de exigências legais. Acho que deveria ser feito um manual para facilitar a vida das ONGs, mas as informações eram passadas aos poucos, em conta-gotas. Alvarás, licença do Corpo de Bombeiros, autorização da Vigilância Sanitária, que determina o número de vasos sanitários para cada criança, para cada pessoa. Distância entre as camas; fogão para manipulação de leite separado do fogão para fazer comida; pessoal da cozinha com unhas cortadas bem curtinhas e sem esmalte, touca na cabeça e sapato fechado; registro no Conselho Municipal de Defesa da Criança e do Adolescente; registro no Ministério do Trabalho; registro no Conselho Municipal de Assistência Social. Como nossas crianças eram HIV positivo, chamamos uma enfermeira para estabelecer as normas de biossegurança: chão, paredes e bancadas limpas com cloro a 12% e depois diluído, material de limpeza separado para banheiros, quartos, cozinhas e refeitórios, ou seja, o pano de chão usado no banheiro não pode ser usado no quarto, muito menos ser lavado junto. Meu Deus, quantas regras!

Rapidamente começaram a chegar mais crianças — nem sempre bebês — que eram abandonadas em hospitais do Rio ou em cidades vizinhas, ou trazidas por suas famílias ou por outros abrigos. Inês e Fernando pareciam irmãos, embora não tivessem parentesco algum. Tinham, respectivamente, três e dois anos, e andavam sempre juntos, de mãos dadas. Inês foi trazida pelos avós paternos, que diziam não ter condições de cuidar da menina, muito franzina, com histórico de várias infecções oportunistas. Fernando havia acabado de perder a mãe, e a médica do Centro Previdenciário de Niterói, que o atendia e nos fez o pedido de vaga, informou que a mãe era uma pessoa muito cuidadosa com o filho, e agora ele não tinha mais ninguém no mundo. A médica não via outra opção a não ser colocar Fernando em uma instituição que cuidasse de crianças HIV positivo.

A família estava crescendo e cada um ocupava seu espaço. Um dia, recebemos uma solicitação de vaga para um menino de sete anos. Naquela época, chegar àquela idade já era muito para uma criança que havia nascido com a doença. Fiquei receosa de aceitá-lo, porque conviver com a perda não é fácil, mas, em conversa com a tia, mulher de um porteiro num prédio residencial na Barra da Tijuca, soube que o sobrinho havia acabado de ficar órfão e que o casal não tinha condições de cuidar dele, porque os moradores do prédio não o aceitavam. Se o sobrinho continuasse com a tia, o marido seria despedido, e os três iriam para a rua. Eles não tinham família no Rio, eram da Paraíba. Assim, marcamos uma data, e a tia nos trouxe Marcelo e os documentos que havíamos pedido.

O que eu ainda não sabia é que Marcelo tinha também deficiência auditiva — era praticamente surdo —, algo que o deixava muito nervoso. A tia nos entregou o menino com uma mochilinha de roupas e um único brinquedo e saiu pela porta, deixando o garoto apavorado e aos prantos. Nenhum de nós sabia o que fazer. Como tentar acalmar Marcelo, que se sentia arrancado da família e entregue a pessoas estranhas? Ele não tinha capacidade de compreender o que estava acontecendo. Tudo era muito diferente: a perda da mãe, a semana com os tios escondido no apartamento do porteiro. E agora?!?

Não sei quem ficou mais apavorado, se ele ou se nós. Mas contávamos com uma psicóloga voluntária, Rita Mendes Ferreira, e ligamos correndo para pedir socorro. Ela tinha formação em psicologia infantil e experiência numa escola para crianças autistas. Foi a nossa salvação. Marcelo ficou com Rita e Christina até a noite. Ele chorava compulsivamente, esmurrando e sacudindo o portão de ferro. Quando cansava, sentava no chão da varanda da casa. Não largava sua mochila. Foi assim que os deixei, quando fui para casa naquela noite.

Pelo que Rita e Christina me contaram na manhã seguinte, a noite havia sido longa, e só por volta das dez horas Marcelo dormiu, exausto, num colchonete colocado na entrada da casa. As tentativas de explicar o que havia acontecido, que aquela seria sua casa, resultaram inúteis. Ele se recusava a ir para o quarto e deitar na cama. Também não desgrudou da mochila e não deixou que tirassem seus tênis por vários dias. Aprendemos que Marcelo entendia quando falávamos em frente a seu rosto e pausadamente. Foi a adaptação mais difícil por que passamos. Como ele se recusava a trocar de roupa, e não queria tomar banho, minha impressão era de que queria estar sempre pronto para o momento em que a tia retornasse para buscá-lo.

Diariamente, a psicóloga trabalhava com ele, mas parecia não adiantar, porque Marcelo não queria se relacionar com outras crianças. Assim, passamos uma semana convivendo com o sofrimento do menino, com a dor de suas perdas e sua desolação, extremamente penosas para nós. Como ele não ouvia bem, falava num tom estridente e gritado. As outras crianças, apesar de menores, implicavam com Marcelo sempre que podiam. Inês era quem liderava o grupo. Crianças não são fáceis nem boazinhas. Riam da maneira de Marcelo falar e de seu apego à mochila, mostravam-se donas da casa e da situação. Esse era mais um problema a contornar. O curioso é que todas estavam ali na mesma situação, longe de suas famílias, e tinham chegado havia pouco tempo à casa.

Eu estava vivendo um período de fúria. Acho que todo o sentimento de raiva e injustiça que não pude extravasar com Cazuza doente havia se concentrado dentro de mim. Não estava disposta a deixar que nada nem ninguém roubasse meu sonho ou tentasse impedir a sua concretização. Não pude lutar contra a morte, e ela levou meu filho. Depois daquele pesadelo, nada mais seria obstáculo para mim, eu achava. Assim, convivemos às turras com nosso vizinho, que invadiu um dos espaços cedidos a nós assim que a obra social da prefeitura deixou o imóvel. Era uma tentativa de minar a criação da casa de apoio, e eu tentava, a todo custo, superar as dificuldades que ele nos impunha.

Como a ONG invadiu uma parte do imóvel, prejudicando a Sociedade Viva Cazuza, montei um dossiê e fui bater em todas as portas da Justiça. Conheci a minha primeira aliada, a dra. Leila Maria Mariano, uma juíza que nos deu ganho de causa. Os processos no Brasil não são simples e não terminam rápido. O vizinho recorreu da sentença e fomos parar no Tribunal de Alçada. Levei novamente meu dossiê e expliquei a situação. Depois de muita sala de espera em juizados, recebemos a notícia de que a sentença definitiva havia saído, e eles teriam que deixar o imóvel, o que se recusavam a fazer.

Um dia, Christina me ligou de manhã contando que um caminhão, cheio de policiais armados, estava no pátio da Sociedade, e os homens enfileirados. O oficial de justiça tentou que desocupassem o imóvel mais de uma vez, sem sucesso. Agora parecia que era para valer. As crianças ficaram apavoradas. Christina se trancou com elas e os funcionários no escritório e, pela fresta da porta de persiana, viu quando a dra. Leila chegou e deu ordem de invadir o imóvel.

Os guardas armados subiram a escada, arrombaram a porta e começaram a descer com mesas, cadeiras, arquivos, pastas e material de escritório. Imagino uma cena de cinema. Tragicômico. Fomos autorizados a ocupar o espaço e assim pudemos receber mais crianças. Naquela altura do campeonato, nosso espaço já era pequeno para a demanda.

Fizemos uma reforma e transferimos o escritório para lá, abrindo no corpo da casa a possibilidade de mais um quarto com banheiro, que foi transformado em berçário.

Jamais consegui entender de fato o que se passou. Essa ONG que ocupava parte do imóvel trabalhava com uma central telefônica que recebia denúncias e, eventualmente, recebia pessoas. Nosso trabalho era abrigar crianças carentes com AIDS. Só sei que no final da convivência, eles me xingavam e eu também acabei xingando. Sempre ia trabalhar sobressaltada, era uma ameaça constante.

Para mim, nada foi fácil. Sempre quis ter muitos filhos, mas consegui ter apenas um. Cheguei a fazer vários tratamentos. Depois de perder meu único filho, como alguém poderia me impedir de ter outras crianças por perto? Não podia admitir isso. Pena que tenha sido na briga, mas valeu. Meses depois, começamos a perceber que o pessoal da ONG não aparecia mais para trabalhar, havia abandonado a única parte que de fato tinha direito. Entrei em contato com o Patrimônio da prefeitura e fui informada de que esse pessoal estava em outro imóvel, e que eu poderia solicitar a cessão de mais aquela parte que havia sido desocupada. Assim foi feito.

Cazuza e Frejat

Vida após a morte

No fim de 1994 contávamos dez crianças. Lotação máxima na época. E como é boa essa sensação de casa cheia, crianças correndo, pulando, brincando, brigas, risos, choros. Hora do almoço, mesas cheias, mas antes tinham que lavar as mãos, precisavam comer de boca fechada — olha o aviãozinho! Que doce a sensação do calor do corpo de uma criança adormecendo em seu colo. O aconchego, a entrega total. Havia descoberto que existia vida após a morte.

Essas crianças me traziam de volta à vida. Piolho, sarnas, infecções, antirretrovirais, febre, dor de garganta, dor de ouvido. Achava que poderíamos superar tudo. Sempre fui otimista, apesar de naquela época as perspectivas de tratamento não serem muito diferentes das do tempo de Cazuza. Sempre quis ter muitos filhos e agora estava cheia de crianças ao redor de mim. Não se pareciam comigo nem com João, mas não fazia a menor diferença. Pequenos, grandinhos, pretos, brancos, eram as minhas crianças!

Já estava me sentindo quase uma expert em pequeninos quando, em novembro, recebemos o pedido de um hospital público para abrigar um menino de nove meses. Segundo o serviço social, ele não tinha referência familiar, havia sido abandonado, o que era comum, e não estava respondendo ao tratamento. Sua situação era bastante grave, e ele não assimilava a alimentação. Nós éramos sua última chance, nos disseram. Resolvemos correr o risco e receber Emerson. Afinal, se ele iria morrer no hospital, por que nós não poderíamos tentar?

Estava em São Paulo negociando a doação de imunoglobulina, que custava uma fortuna. Quando cheguei, disseram-me que a criança já estava lá, no posto de enfermagem. Deparei-me com um bebê que parecia ter apenas olhos e barriga. Era praticamente isso. Estava totalmente desnutrido, pesava cerca de três quilos. Aos nove meses. Era assustador. As enfermeiras o colocavam no colo em cima de um travesseiro, para não machucá-lo. A médica nos orientou a oferecer apenas pequenas quantidades de mamadeira, em pequenos intervalos. Fiquei apavorada. Meu Deus, pensei, como fui aceitar essa criança sem vê-la? E se ela morrer em nossas mãos, como será? Não estou preparada para isso!

Estava tudo bom demais para ser verdade.

Será que não poderia haver um tempo de paz?

Em pouco tempo, Emerson começou a ganhar peso, mas seu estado permanecia crítico, embora percebêssemos melhora. Ele mamava avidamente tudo o que era oferecido, e nunca teve problema para assimilar a alimentação. Provavelmente, ficou largado num canto de hospital esperando a morte.

Apesar de ganhar peso, surgiram outras complicações. Um dia, amanheceu com muitas bolinhas vermelhas na barriga, pareciam sangue. Eram petéquias, soube mais tarde. Ele precisava ser internado. Dessa vez, entramos em contato com um hospital infantil perto de nossa casa, o Fernandes Figueira. Emerson ficou com uma pessoa de nossa equipe como acompanhante. Foram várias internações, ele ia e voltava, passava uma semana em casa, outra no hospital, até que seu estado se estabilizou. Numa das vezes em que fui visitá-lo no hospital conversei com o médico, chefe do serviço de AIDS, e contei que estava comprando imunoglobulina, que o governo do estado do Rio de Janeiro não fornecia, e que em São Paulo o remédio estava disponível.

    O médico me perguntou por que eu estava gastando dinheiro com as crianças pobres se elas iriam morrer? Fiquei indignada. Mas era esse o mundo no qual vivíamos. Foi por isso que preferiram deixar Emerson sem alimentação no hospital, é o que imagino. Afinal, ele iria morrer mesmo. Jamais acreditariam que ele pudesse crescer e se transformar.

Direito ao estudo

Sempre gostei de participar das refeições com as crianças. Acho que as coisas importantes acontecem em torno de uma mesa, e esse era o espaço que usávamos em casa para estarmos juntos e conversarmos, para além de saber o que havia acontecido durante o dia.

Assim fui criada e segui essa norma em minha casa. Hoje, as famílias não jantam mais juntas — cada um come sozinho, muitas vezes em seu quarto, vendo televisão, falando no telefone ou plugado no computador. É uma pena não existir mais esse espaço de compartilhamento, mas na Viva Cazuza, até por uma questão de organização, todos jantam juntos.

Uma noite, eu estava no refeitório com as crianças e uma menina, Ana Clara, na época com quatro anos, me perguntou direto, na lata:

— Tia, você matou seu filho?

Fiquei apavorada com a pergunta e, sem pensar, respondi:

— Claro que não, que ideia é essa?

Ela não soube responder. Fiquei muito incomodada com a pergunta. Só mais tarde compreendi que todas as crianças da casa haviam sido contaminadas por suas mães. Na cabecinha de Ana Clara não havia outra forma de contaminação a não ser através da mãe. Então, se meu filho havia morrido, eu deveria ter sido a responsável.

Em 1994, todos eram órfãos. Eles conversavam e contavam que a mãe havia morrido e, por isso, agora moravam ali, naquela casa. Parecia muito natural. Ana Clara foi levada pelo pai logo que sua mãe morreu. Era uma menina lourinha, muito esperta. Descobrimos, tempos depois, que o louro era pintado. Seu pai, um homem grosseiro, não tinha o menor cuidado quando falava perto da filha. Assim que chegou, foi logo dizendo que a menina estava doente por causa da mãe, que não prestava, e que agora era a vez da menina. Disse que não podia cuidar da filha e que não era responsável por aquela situação.

Explicamos que a AIDS não tinha cura, mas que iríamos cuidar da menina e que ele deveria visitá-la, o que fez com certa frequência que nos espantou. Perguntei a ela se estava gostando de morar na casa, e ela respondeu que sim, mas que queria ir à escola. Até aquele momento ainda não tínhamos pensado nisso.

Ana Clara era uma criança muito esperta, muito viva e quando não queria uma coisa era difícil convencê-la do contrário. Uma vez, no refeitório, deparei-me com a seguinte cena: Ana Clara derrubando as cadeiras e chutando a mesa, enquanto uma de nossas psicólogas voluntárias dizia que ela podia quebrar tudo, mas que iria tomar o remédio. Não aguentei e interferi:

— Minha filha, ela não vai quebrar nada aqui, porque montar essa casa foi muito caro e deu muito trabalho. Ela vai tomar o remédio de qualquer jeito, é para isso que estou aqui.

Acho que foi a partir desse episódio que assumi minha posição na casa.

Tentávamos apenas atender às primeiras demandas, e não havíamos pensado no futuro daquelas crianças. Fizemos contato com a Escola Municipal Gabriela Mistral, especializada em pré-escola, e agendamos um encontro com a diretora Vânia. Ela foi uma grande parceira. Promoveu um programa de palestras para professores, funcionários e pais de alunos para que, em 1995, nossas crianças fossem matriculadas. O objetivo era tornar os efeitos do preconceito os menores possíveis.

Tenho certeza de que a direção da escola tem um grande papel no combate ao preconceito. E Vânia comprou nossa briga e possibilitou que as crianças fossem tratadas normalmente por professores, amigos e pais de alunos. É claro que algumas pessoas ficaram com muito medo, enquanto outras tiraram seus filhos da escola. Mas o direito de elas estudarem estava preservado. Foi uma convivência tão boa que até hoje, de vez em quando, encontramos os pais das outras crianças que dizem, com uma ponta de orgulho, que seus filhos estudaram com os nossos na Gabriela Mistral. Temos uma lembrança muito boa daquela parceria.

Lucinha, Cazuza e João Araújo

Primeiro Natal

Em dezembro, fizemos nossa primeira festa na casa de apoio. Antes, houve duas festas de Natal no Hospital Gaffrée. E não poderia existir oportunidade melhor que o Natal. Nenhuma festa, brinde ou cerimônia de inauguração marcou o início de nosso trabalho.

Meu cunhado José se vestiu de Papai Noel. Pedimos doações em padarias e restaurantes e para amigos e colaboradores. Os funcionários trouxeram os filhos, convidamos voluntários, parceiros — Isabelita dos Patins veio fantasiada de Mamãe Noel. Sandra de Sá, com seu filho ainda pequeno, e Ney Matogrosso também se juntaram a nós. Precisávamos mesmo comemorar, e foi maravilhoso ver os olhinhos brilhantes das crianças conversando com Papai Noel, ganhando presentes, quem sabe o primeiro presente da vida delas. A festa animadíssima foi até tarde da noite. As crianças, excitadas, andavam no pátio com os brinquedos novos, os funcionários e os voluntários confraternizavam. Sandra de Sá se empolgou, pegou o microfone e cantou um ou dois sucessos, acompanhada ao violão pelo Sandro, que até hoje anima nossas festas gratuitamente. O clima foi de total descontração e entrosamento. E foi esse o tom que demos e ainda damos a todas as nossas festas: animação, música e divertimento sem hora para acabar. Vivíamos a novidade, a surpresa, o inesperado.

Com a convivência, percebemos que os funcionários tinham muitas dúvidas em relação ao trato com as crianças. Apesar de já termos distribuído material relativo às formas de transmissão do HIV, alguns relataram que vinham sendo discriminados em suas comunidades e que algumas pessoas evitavam sentar perto deles no ônibus quando trajavam o uniforme. Uns temiam tocar as crianças sem luvas, outros negavam a doença e achavam que elas eram saudáveis. Foi necessário fazer um treinamento com a equipe médica, dar palestras, mostrar fotos, transparências e filmes, promover vivências. Decidimos, então, publicar uma cartilha, financiada pelo Programa Nacional de DST/AIDS, batizada de *Uma babá mais que perfeita*, distribuída posteriormente nas unidades públicas de saúde e ONGs.

Em visita à Casa Vida, padre Júlio Lancellotti contou que por um longo período perdeu muitas crianças e chegou a pedir a Deus que parasse com todo aquele sofrimento. Ele não aguentava mais. Ficamos apavorados, embora aquela realidade ainda não tivesse nos atingido.

Estávamos incólumes. Não por muito tempo.

Recebíamos muitos pedidos de acolhimento e, a cada dia, a casa estava mais cheia, especialmente de crianças pequenas. Consequentemente, foi preciso contratar mais funcionários. Chegamos a abrigar 34 crianças, a maioria bebês, quase com a mesma história — internações em hospitais públicos com complicações relacionadas ao HIV. Quando recebiam alta hospitalar não tinham quem os buscasse. Muitas vezes, a referência familiar não era encontrada — pais ou parentes davam o endereço errado para não serem encontrados, para não terem que buscar as crianças.

Um dia, a vice-presidente da Viva Cazuza, Lilibeth Monteiro Carvalho, ligou para contar que ia a Cuba e achava a viagem a "minha cara". Hesitei, mas concluí que estava precisando de um tempo para recarregar as baterias. A rotina na Viva Cazuza consumia muito tempo e energia.

Partimos do Rio, com escala em Caracas, onde pegamos outro avião para Havana. Éramos um grupo de cinco pessoas que eu não conhecia bem, exceto Lilibeth. Quando o avião pousou na capital cubana fomos recebidas por uma comitiva governamental. Senti-me a própria chefe de Estado. Chegaram a nos levar até o hotel.

Havana é uma cidade que parece ter parado no tempo, nos anos 1950, mas conserva o charme dos paraísos tropicais, bem diferente do modelo globalizado e consumista, típico do Caribe. O povo é extremamente hospitaleiro, alegre e musical. Nisso se parece conosco. E eles têm sede de turistas, de informações. Havia duas Havanas, uma para os turistas, outra para os cubanos. Até o dinheiro era diferente. Viajamos em 1995 e de lá para cá imagino que muita coisa tenha mudado.

Chegando ao hotel nos deparamos com um enorme arranjo de camélias. Recebemos um telefonema, muito gentil, de Fidel Castro. Ele se desculpou, e disse que infelizmente não poderia nos encontrar, porque estava no interior, mas que toda sua equipe, seus ministros, estaria à nossa disposição. Fidel é uma figura mítica, e eu não era imune ao mito.

Ficamos sob os cuidados da secretária do comandante, que nos tratava como rainhas, levando-nos de um lado para o outro, e estava sempre de olho em nós, para tomar conta mesmo. Procurei saber como era a situação da AIDS em Cuba, mas as pessoas desconversavam. Depois que revelei ser a presidente de uma ONG de combate à doença no Brasil, contaram-me que os pacientes ficavam em locais isolados para se conscientizar de sua responsabilidade quanto a disseminação da AIDS. Disseram que essa estratégia visava à melhor aceitação da doença, e, depois de o paciente estar consciente e conformado, ele voltaria ao convívio social. Achei que era um confinamento disfarçado, tentei argumentar, mas não houve a menor receptividade. Não aceitavam meus argumentos. Não pude conhecer esses locais. Quando cheguei ao Brasil, recebi um comunicado do Ministério da Saúde de Cuba informando que me enviariam um lote de testes anti-HIV, que doei ao Hospital Gaffrée e Guinle.

Qual é o futuro?

Cazuza desenhava distraído na sala enquanto conversávamos. Fazia mapas de cidades fictícias e dizia que seria arquiteto. Como João sempre trabalhou no meio musical, nossa casa vivia cheia de artistas. Eles chegavam a qualquer hora para discutir um disco, conversar sobre contrato, pedir dinheiro ou simplesmente trocar ideias. Cazuza ficava ali, absorto no traçado de suas cidades, ruas e praças. Pensávamos que não prestava atenção nos assuntos discutidos ou, pelo menos, que aquele mundo cheio de sons não despertava seu interesse.

Hoje, acho que essa vivência impregnou meu filho de música. Não nos demos conta de que, por trás daquele menino quieto, surgiria um compositor com grande bagagem e conhecimento de MPB. Sempre adorei música, tanto que, enquanto costurava, ouvia rádio e cantarolava. Cheguei a gravar dois discos, que não tiveram repercussão. Ser afinada e conhecer o meio musical não leva ninguém ao sucesso. É preciso ter uma estrela, um algo mais que Cazuza tinha.

Que caminhos vão trilhar as crianças, quem serão elas, o que construirão?

Essas questões são recorrentes quando penso nas crianças da Viva Cazuza, quando as vejo estudando, cantando, correndo e brincando. Que homens e mulheres ajudaremos a construir? Tentamos criar os nossos filhos baseados em nossas experiências, mas também nas que não tivemos. Se não pude vislumbrar na infância do meu filho quem ele seria, que árvores, flores, folhas ou frutos darão essas sementes que estamos cultivando?

Comer, comer

O hospital Fernandes Figueira foi o endereço de Rodrigo durante oito meses. Internado pela família, a mãe morreu em consequência da AIDS. Quando Rodrigo teve alta, ninguém foi buscá-lo. Enfermeiros, médicos e equipe assumiram a criança que, aos cinco anos, perambulava com a maior desenvoltura e a maior intimidade pelas enfermarias. Visitava pacientes, conversava, brincava entre soros, agulhas e remédios.

As buscas do serviço social por alguém da família que pudesse ficar com Rodrigo foram inúteis. O caminho era notificar o Juizado de Menores. Afinal, ninguém pode morar num hospital. Foi assim que ele chegou até nós, com grande conhecimento de todos os procedimentos médicos e com uma infecção no ouvido esquerdo, de onde escorria pus e exalava um cheiro ruim. Rodrigo tinha vasto histórico de tratamento com antibióticos e, de acordo com os relatos, a infecção melhorava, mas não era curada.

A adaptação de Rodrigo foi muito fácil. Rapidamente, ele encontrou seu espaço. Era um menino calmo, bastante guloso, grande para a idade dele. Assim que recebemos os resultados de seus exames, ele foi encaminhado ao dr. Anderson Santos, otorrino voluntário, que atende até hoje nossas crianças. O médico disse que Rodrigo tinha uma lesão, e que o melhor caminho seria uma cirurgia para recuperar o canal auditivo. E nos alertou para o fato de que infecções recorrentes no ouvido são perigosas por causa da proximidade com o cérebro.

Em poucos meses Rodrigo foi operado. Era um menino que chamava atenção pela passividade. Aceitava tudo sem contestação, e essa característica passou a nos preocupar. Pedimos atendimento de um psicólogo voluntário, e notamos que Rodrigo se interessava mais por brinquedos de meninas, chegando a pedir, certa vez, para colocar um vestido. Queria ver como ficava, disse ele. Tentamos trabalhar suas diferenças com naturalidade, e orientamos todos os funcionários que agissem da mesma forma, e com respeito.

Com o passar do tempo, Rodrigo foi deixando de lado esse tipo de interesse, mas continuava passivo. Alguns educadores diziam que ele era bonachão, mas acho que lá no fundo ele tinha uma grande tristeza. Tristeza da qual tentou escapar canalizando as energias para a comida, que se tornou o objeto de seu maior interesse. Chegou ao ponto de querer aprender a cozinhar.

Na escola, Rodrigo não tinha muitos amigos, mas, como era grande, virou o defensor de todas as crianças da casa. Sempre que havia uma briga, ele não pensava duas vezes. Partia para cima, aos socos. Um dia, fomos chamados à escola, e a psicóloga nos disse que precisávamos conversar com Rodrigo. Que ele brigava de vez em quando, mas daquela vez havia extrapolado — bateu em dois meninos menores que não eram nem sequer de sua sala, e que ela não via motivo algum para aquela atitude. Quando tentaram conversar, Rodrigo ficou mudo, mas de seus olhos brotaram gordas lágrimas. Para a escola, ele não podia se esconder atrás do choro. Queixaram-se de que todas as vezes que chamavam a sua atenção a resposta era o choro.

Em casa, depois de longa conversa, conseguimos que ele nos contasse o motivo da briga. Disse que duas de nossas meninas reclamaram que estavam sendo chamadas de aidéticas, que era preconceito, e que nós havíamos ensinado que não podiam deixar que ninguém os discriminasse. Fiquei sem saber o que dizer. Afinal, uma vez fiz o mesmo com uma vizinha que havia discriminado Cazuza, e Rodrigo conhecia essa história. Foi com uma ponta de orgulho que nos disse ter brigado para defender suas *irmãs*, e, por ser o maior e o mais velho, era o responsável por elas.

Sempre admirei esse espírito de Rodrigo, mas tentávamos explicar que a briga não era a única maneira de resolver um problema. Esse, no entanto, era o jeito dele, que o transformava num herói para os menores. Além de grande, a mão de Rodrigo era enorme, gorda. Os meninos diziam que ele tinha mão de hambúrguer.

Descontando essas poucas situações de conflito, Rodrigo jamais causava problema. Numa casa com mais de vinte crianças, a tendência é dar mais atenção a quem cria conflitos. Mesmo assim, nossa preocupação estava voltada à relação que Rodrigo havia estabelecido com a comida. Ele era muito guloso, e a dra. Loreta achava que ele deveria fazer uma dieta. Mais magro, dizia ela, a autoestima dele melhoraria. Ele se animou, enchia o prato de salada, mas depois comia tudo o que havia sobre a mesa. Seu interesse e sua curiosidade por comida eram imensos, e ele foi o primeiro a experimentar comida japonesa numa das vezes que levei as crianças para jantar no Porcão (uma das mais famosas churrascarias do Rio). Rodrigo se entendeu perfeitamente bem com os pauzinhos, manipulando-os com destreza. Era um menino muito doce, que costumava vir à minha sala nos finais de tarde. Ficava sentado e quieto. Queria apenas ficar por perto.

Silvia Mendel – pedagoga

Christina Moreira da Costa – coordenadora de projetos

Sonia dos Santos – técnica de enfermagem

Memória da fome

Depois de muitas idas e vindas a hospitais, o estado de saúde de Emerson começou a se estabilizar. O menino subnutrido que tínhamos medo de pegar no colo, tal sua magreza, deu lugar a um garotinho rechonchudo que agora nos impunha outro desafio.

A desnutrição lhe causou atraso motor, na dentição e na fala. Tínhamos a sensação de que ele iria custar muito a andar, porque seus pezinhos eram pequenos demais, e ele estava se tornando um menino gordinho. Mas a fisioterapia diária o fez recuperar a musculatura e andar — mais tarde que o habitual, é verdade. Quando deu os primeiros passos, percebemos que os cuidados deveriam ser redobrados. Tudo o que encontrava punha na boca, não como as crianças fazem, mas para comer. Acho que a memória da fome estava impregnada nele, tanto que passou a assaltar a geladeira, a roubar balas das outras crianças e merenda dos amigos da escola. Compulsivo, ficou obeso, por mais que tentássemos controlar sua alimentação.

Emerson virou o xodó de nossa secretária, também gordinha, que às vezes, escondida de nós, trazia doces e chocolates para ele. Emerson era uma criança de extremos. Num momento, afetiva, carinhosa, muito doce. Subitamente, ficava raivoso e agressivo, batia e mordia quem o aborrecesse. Com a fala comprometida, o que nos levava a imaginar ser a razão de sua irritabilidade, fez acompanhamento fonoaudiológico por longo período. Embora tenha melhorado significativamente o modo de falar, a agressividade se manteve intacta e, por essa razão, demos início ao tratamento psicológico.

Como tinha muita energia, Emerson foi matriculado no judô — presumimos, nós e a psicoterapeuta, que uma atividade física pudesse ajudá-lo a relaxar. Ele se tornou perito em dar chave de braço nas crianças menores. Também gostava de apertar o pescoço dos bebês. Sentia-se importante quando, calmo, pedíamos para ajudar em alguma tarefa, que executava com atenção. Adorava abraçar e era muito beijoqueiro. Cresceu rápido e ficou um menino bonito. Com muito trabalho, conseguimos equilibrar seu peso e melhorar sua fala, mas sua coordenação motora continuou comprometida, assim como a aprendizagem no colégio.

Quando não conseguia fazer o dever de casa ficava possesso. Rasgava o caderno, o livro e, se o chamassem de volta para o dever, não hesitava em distribuir socos, pontapés e mordidas. Não demorou muito e as reclamações na escola se acumularam. Por mais paciência que os professores tivessem, nada era suficiente para conter os pais daqueles alunos que apanhavam — eles não achavam a menor graça na situação. Em casa, conseguíamos exercer certo controle, mas, quando Emerson estava bem e calmo, sempre aparecia outra criança para implicar e instigar seu lado agressivo.

Emerson adorava dançar e acompanhava as músicas preferidas no rádio tocando com muito estilo uma guitarra fictícia. Dizia que queria ser cantor de rock e até que levava o maior jeito para a coisa.

Um dia, uma moradora de rua, muito suja, com feridas nos braços, tocou a campainha, disse que tinha um filho e que ele estava conosco. Perguntamos o nome da criança e ela respondeu Emerson. Entrou, conversou com a assistente social, que, em entrevista, testou sua credibilidade e a veracidade do que dizia. Ela não tinha documentos, e o menino já estava conosco havia dez anos, sem que nunca tivéssemos tido notícias de seus parentes.

A mulher veio acompanhada de outras duas crianças, seus filhos, um mais velho, outro mais novo que Emerson. Sua história batia com os relatos do serviço social do hospital. Como Emerson estava na escola naquele momento, combinamos que ela retornaria outro dia e que, para prepará-lo, falaríamos com ele sobre a visita da mãe.

Emerson ficou ansioso esperando por ela, que veio no dia combinado. Quando ele a viu, sentou-se de costas para ela e respondeu às perguntas laconicamente. Mostrou algum interesse pelos irmãos, que vendiam bala num sinal de trânsito em Copacabana, local em que ela dormia com os filhos. Na visita seguinte, ele continuou sem dar atenção a ela e disse: "Eu sei que você é minha mãe, mas não precisa mais vir me visitar".

Essa não foi a única vez que expressou com clareza seus sentimentos, mas foram poucas as ocasiões em que isso voltou a se repetir. Ele estava maior e mais agressivo.

A história trágica dos órfãos

Wellington chegou com uma vizinha de sua avó materna, que morava em Itaboraí, cidade próxima ao Rio, no caminho para a região dos Lagos. Trouxe o encaminhamento do juiz da cidade e uma história que nos chocou.

Ele tinha cinco anos. Sua irmã, Stefani, de oito, estava internada no Hospital da Lagoa com sérios problemas pulmonares em consequência do HIV. Ambos infectados por transmissão materna. Depois da morte da mãe, os irmãos passaram a morar com os avós maternos. Foi nesse momento que dona Rosário conheceu as crianças. O pai de Wellington, ela nos contou, era muito ciumento e não acreditava na doença da mulher, por isso não permitiu que ela se tratasse. Ela morreu rapidamente. Os meninos, vistos como dois bichinhos, viviam isolados do mundo e sem contato com a família.

Com a morte da mãe, os avós pegaram os netos para criar. Viveram juntos por dois anos, quando o pai, num acesso de fúria, matou os sogros na frente das crianças e sumiu no mundo. Nunca soubemos se a história era totalmente verdadeira, mas com certeza havia alguma verdade nela. Dona Rosário nos disse que as crianças tinham uma tia materna, que acompanhava Stefani no hospital.

O encaminhamento do juiz a uma casa de apoio servia para os dois irmãos, e assim que Stefani tivesse alta hospitalar também seria abrigada. Wellington estava muito assustado. Nunca tinha visto televisão e desconhecia praticamente tudo. Sua adaptação não foi fácil. Ele queria nos testar o tempo todo e fazer apenas o que tivesse vontade. Quando contrariado, ficava emburrado e não havia quem o tirasse do lugar sem levar pontapés e mordidas, apesar de todos os dentes estarem podres.

Com o passar do tempo foi tomando ares de senhor da casa, e depois da chegada da irmã ficou totalmente à vontade. Foi uma das crianças mais inteligentes que tivemos. Tinha espírito de liderança e rapidamente tomou conta do pedaço. Eu adorava observar a articulação de seus pensamentos, sua capacidade de contestação baseada em argumentos.

Stefani era a mais velha da casa e sua adaptação foi mais fácil que a de seu irmão. Ela se recuperou logo. Conhecemos sua tia, que jamais confirmou a história contada por dona Rosário, mas disse que seus pais haviam sido assassinados. E que o pai era, de fato, muito violento e não havia reconhecido Stefani como filha, apesar de a mulher ter afirmado milhares de vezes que dizia a verdade.

Primeira perda

Ainda estávamos em 1995 e, até aquele momento, com a casa cheia de crianças infectadas por meio de transmissão materna, não havíamos tido perda nenhuma. Queria acreditar que o horror que havia atingido o padre Júlio Lancellotti não chegaria até nós. Marcelo, porém, ficou doente. Começou a ter febre e convulsões e foi internado num hospital público. Deslocamos funcionários para acompanhá-lo 24 horas por dia. Ele precisava de uma pessoa para lhe dar banho e comida, trocar suas roupas, e contar com a companhia de conhecidos que pudessem consolá-lo, especialmente por causa de suas deficiências auditiva e de comunicação.

Poucos dias depois, Ana Clara também ficou doente e foi internada no mesmo hospital. As visitas do pai, uma pessoa sempre de trato difícil, eram frequentes. Dedicava poucos cuidados à filha, mas tinha uma ligação muito forte com ela. Era nítido. E Ana Clara esperava a visita do pai com impaciência e falava sempre dele, porque ele era a sua referência.

Uma vez, Ana Clara disse à dra. Loreta que não queria ficar no hospital porque era sujo e havia uma barata em sua cama. A médica tentou acalmá-la, mexeu no lençol para provar que não havia nada ali. Até que encontrou a barata passeando pelo colchão. Não tínhamos alternativa a não ser internar as crianças na rede pública. Os hospitais particulares eram caríssimos e os convênios de saúde recusavam pacientes HIV positivos. Naquele momento, era a única saída.

Os funcionários se revezavam entre as duas crianças. Marcelo piorava a cada dia, e, quando finalmente seu caso foi diagnosticado — meningite criptocócica (infecção provocada por fungo) —, já era tarde. Ele tinha convulsões de difícil controle que, segundo os médicos, lesavam seu cérebro. Os médicos foram francos: não haveria recuperação.

Ficamos muito preocupados, porque, para além da doença de Marcelo, Ana Clara estava internada perto dele e poderia sofrer um trauma. Conseguimos transferi-la para outro leito. No dia 12 de março de 1995 Marcelo morreu.

Com ele foi embora a sensação de que estávamos superando a AIDS, que seríamos mais fortes do que ela. Como dizer às outras crianças que Marcelo não iria voltar? Que ele havia morrido?

Meu Deus, eu optei por cuidar de crianças porque imaginei que o trabalho com adultos seria um videotape de minha vida, do meu sofrimento com Cazuza... E passar por essa perda, uma criança, como era injusto! Não podia acreditar no que estava acontecendo.

Ainda tentávamos nos recuperar da morte quando Rodrigo ficou doente. A dra. Loreta decidiu, então, assumir o tratamento de todas as crianças HIV positivas. Ana Clara também teve meningite criptocócica, mas, como o diagnóstico foi precoce, ela se recuperou. Rodrigo teve encefalite. Dos males, o menor, se é que podemos dizer assim, mas eu estava apavorada — todos estávamos.

Ana Clara voltou para casa e Rodrigo não precisou ser internado. Tentamos conversar com as crianças, tornar mais leve a perda de Marcelo, mas elas não se deixaram enganar facilmente. Sabiam exatamente o que significava "Marcelo não vai mais voltar, ele está no céu junto com a mãe dele". Muitos já tinham visto aquele filme bem de perto. Ana Clara, então, nem se fala. Com a rapidez e a objetividade próprias das crianças, chegou à casa e foi logo dizendo aos outros: "Marcelo morreu, eu vi".

Crianças são assim mesmo, estão sempre nos surpreendendo. Falam e perguntam coisas das quais, muitas vezes, tenho vontade de fugir. Mas aprendi que nunca podemos deixá-las sem resposta. Aprendemos ainda que no tratamento de AIDS é fundamental que tenham conhecimento de sua condição de saúde o mais cedo possível. E mais uma coisa que nos ensinaram: existe a hora certa de falar as coisas.

Um dia, a dra. Loreta estava em seu consultório, na casa de apoio, e Wellington perguntou: "Tia, eu estou doente?". Ela disse que não, mas naquele momento percebeu que, por trás da pergunta, havia outras dúvidas, interrogações. Passou a explicar que ele não estava doente, embora tivesse um bichinho no sangue...

Vamos contando a elas de acordo com a capacidade de compreensão e com a linguagem própria a cada faixa etária. O conhecimento faz com que aprendam a se cuidar, a dar o alarme quando qualquer coisa diferente acontece no corpo, a colaborar com o tratamento.

No início, a dra. Loreta temia que a crianças tivessem medo dela, afinal, era ela quem mandava fazer exames, tomar remédios e injeção... Hoje, eles têm uma excelente relação com ela, de confiança, e são as primeiras a contar quando algum problema de saúde aparece. Os mais velhos discutem questões como carga viral, CD4, troca de esquema de antirretroviral.

Precisávamos contratar uma nova supervisora, dividir melhor os plantões nos finais de semana. Depois de entrevistarmos vários candidatos, contratamos Janete. Baixinha, usava sempre salto alto e cabelo bem curtinho. Passou pelo treinamento e assumiu suas responsabilidades: levar as crianças ao colégio, passear com elas nos fins de semana, ajudar na arrumação. Tudo corria bem até que Janete defendeu a ideia de que as crianças não fossem à escola. Achava muito arriscado, porque elas podiam pegar uma gripe ou qualquer outra doença dos colegas. Tinha medo que caíssem, que se machucassem. Não queria que corressem ou pulassem, coisas impossíveis.

Como já havia feito o treinamento e sabia que infecção oportunista é muito diferente de resfriado, decidimos que ela deveria retomar as aulas para que ficasse mais segura. Mas, no dia a dia, continuava apavorada — e o pânico em relação às doenças oportunistas praticamente a imobilizava.

Quase todos os dias, Janete se atrasava para levar as crianças à escola — sempre dava uma desculpa. Ainda que inconscientemente, ela tentava achar uma maneira de deixar os pequenos em casa. Sabia que havíamos perdido uma criança antes de ela se juntar a nós. Num de seus plantões, a mãe de uma criança chegou para a visita. Havia acabado de ter um bebê e queria nos entregar o recém-nascido, porque achava que ele estava doente. Como nossa orientação era só receber crianças com encaminhamento do Juizado, Janete aconselhou à mãe que levasse o bebê ao hospital e depois solicitasse ao Juizado o abrigo da criança. Infelizmente, o bebê não resistiu e morreu pouco tempo depois. Ela não se perdoou e se sentiu culpada. Janete trabalhou conosco durante quatro meses.

A família das crianças

Lucas chegou com um mês de idade. Era filho de uma paciente psiquiátrica. A mãe teve um surto depois do parto e foi internada no hospital Pinel. Não demos muita atenção ao fato, mas, dias depois, ela apareceu com muita raiva porque lhe haviam tirado o filho.

Como o menino veio com encaminhamento judicial, argumentamos que ele ficaria conosco, pelo menos por um tempo. Ela estava muito descontrolada, mas conseguimos, naquele primeiro momento, colocar panos quentes, contar que Lucas estava bem tratado, que cuidávamos dele com todo o carinho.

Aconselhamos a ela que fosse ao Juizado de Menores e conversasse com a assistente social e a psicóloga. Pensamos que o problema estivesse resolvido, mas ela voltou no dia seguinte querendo ver o filho a todo custo. Deixamos que visse Lucas. Fizemos contato com o médico que cuidava dela no Pinel para saber como lidar com a situação. Afinal, aquela não era nossa especialidade.

Um de nossos voluntários, o psiquiatra Carlos Eduardo Honorato, que está conosco até hoje, explicou que, apesar de medicada, ela poderia estar calma em alguns momentos e em outros, não. Às vezes, via o filho com tranquilidade, chamava o dr. Carlos Eduardo de compadre. Às vezes, armava a maior confusão, deixando apavorados crianças e funcionários. Vinha tarde da noite e, como não podia entrar, socava e esmurrava o portão. Os vizinhos chamavam a polícia.

Lucas teve um problema respiratório, não relacionado ao HIV, e precisou de internação hospitalar. Quando ela soube que o filho havia sido internado, ficou completamente descompensada. Foi ao hospital, tirou o menino do soro e saiu correndo com ele nos braços. O hospital acionou a segurança e a polícia, e ela ameaçou jogar Lucas do alto de um viaduto. Os policiais conseguiram resgatar a criança, que voltou ao hospital. A mãe foi proibida de vê-lo enquanto estivesse internado. Lucas retornou à nossa casa, e ela passou um período sem visitá-lo. Depois, soubemos que havia sido internada novamente.

Em outra ocasião, ela foi ao Juizado de Menores e, como não foi autorizada a ficar com Lucas, fez pequenos cortes no pulso com uma gilete. Jogou sangue nos funcionários e na promotora, que estava grávida. Perceberam, então, que não exagerávamos quando dizíamos que ela era uma pessoa muito difícil. Lucas ficou conosco pouco mais de um ano e deixou a casa quando sua mãe pulou o muro e o levou. Fomos à polícia e ao Juizado e demos queixa.

Mais tarde, soubemos que ele havia negativado para o HIV, havia sido adotado, e que a mãe estava internada no manicômio judiciário. Essa foi a mãe mais complicada com quem convivemos, mas não foi a única que precisava de assistência psiquiátrica.

A mãe de Brenda, bastante calma, visitava a filha, ainda bebê, e sempre trazia presentes, como raspador de pelos para as pernas, crustáceos ou calcinhas de renda preta. Às vezes, ficava no pátio com a assistente social e perguntava se algum dos bebês trabalhava e quais eram suas intenções, porque achava que um menino estava interessado em sua filha. Ela engravidou novamente e deixou de visitar Brenda, que foi adotada por um ex-funcionário.

Em todos esses anos, contamos aos milhares as histórias e as vidas que cruzaram nosso caminho. Nenhuma história parecida, mas todas sofridas. Em 1996, recebemos três meninas, duas delas irmãs, trazidas pelo pai que dizia não ter condições de criá-las depois da morte da esposa. Saía para trabalhar e deixava as meninas em casa. Elas ficavam sentadinhas no meio-fio. Não eram meninas de rua, mas estavam se acostumando com aquela vida. À noite, lembrou, tirava a própria camisa, com a qual havia trabalhado o dia inteiro, para forrar a cama onde elas dormiam. Destacou a rebeldia da mais nova, que só tinha três anos. Uma criança de três anos, eu pensei, era pequena demais para ser chamada de rebelde. A mais velha tinha cinco anos e disse ao pai que não queria ficar em nossa casa, mas, fascinada com o prato de comida com carne, mais a sobremesa, deixou que o pai fosse embora sem maiores problemas.

Quando chegou à casa de apoio, a outra menina tinha dois anos. A mãe ainda estava viva, mas muito doente, e o pai tinha outra companheira, com quem também teve filhos. Entre todos eles, Rebeca era a única que havia contraído o HIV. Foi o pai quem contaminou as duas mulheres. Não demorou muito e a mãe de Rebeca morreu. Ela passou a ser visitada pelo pai, pela avó paterna, pelos tios e pelos dois irmãos. A família do pai sempre foi muito próxima da menina, que demonstrou extrema fragilidade desde o dia em que chegou.

O pai de Rebeca era um mulato alto, forte, bonito. A mãe, visivelmente doente, também era negra e muito magra. E Rebeca nasceu branca numa família de negros. É a cara do pai e dos irmãos.

Dalila, a mais velha das irmãs, rapidamente encontrou seu espaço. Tinha lindos olhos verdes e um sorriso bonito, era esforçada na escola, do tipo que fazia tudo certo e gostava de agradar a todos. Conseguiu. Judith, a mais nova, era muito engraçada, respondona e linda, mas se achava feia porque não gostava do próprio cabelo. Ficou mulata, cor de chocolate,

"Nunca houve discriminação em nossa casa, conseguimos que todos respeitassem as diferenças e os tempos de cada um."

com olhos cor de mel. Era alta. Comparava-se o tempo todo com a irmã e dizia que a irmã tinha cabelo liso e ela, não.

As três meninas foram crescendo juntas, mas Rebeca ficava sempre para trás. Comia devagar, tinha fraco aproveitamento na escola e estava sempre na companhia dos menores. Nunca brincava com Judith, apenas um ano mais velha. Elas foram se distanciando. Naturalmente, passamos a enxergar Rebeca mais infantil do que de fato era. As outras crianças também a viam da mesma maneira.

Nunca houve discriminação em nossa casa, conseguimos que todos respeitassem as diferenças e os tempos de cada um. O pai de Dalila e Judith pouco visitava as filhas. Dizia que era HIV negativo, mas algumas vezes confessava ter medo de ficar doente. Durante todo o tempo em que as meninas estiveram conosco nunca conseguimos que ele fizesse um exame. Parecia sempre bem-disposto, trabalhava como vigia noturno, tinha uma nova companheira. As meninas fantasiavam, achavam que ela se tornaria uma segunda mãe.

A família de Rebeca sempre foi muito presente, mas ela nunca demonstrou animação. Tenho a impressão de que outras crianças valorizavam mais a família de Rebeca do que ela mesma. É que receber muitas visitas era mais ou menos sinal de status.

Quando Newton era menor, me pedia para ficar sentada com ele lá fora, como faziam as outras crianças com suas famílias. Ele me contou que eu era sua visita. Ficávamos lá conversando, e ele se sentindo importante porque também tinha visita.

Julia Lemmertz, Cazuza, Zeca e Leninha

Compromisso de madrinha

Hoje nosso cotidiano é mais tranquilo. Aprendemos a evitar problemas. Não estamos expostos a tantas intempéries como antes, exceto pela dificuldade de financiamento e de manutenção, mas também tínhamos esses problemas no início.

As visitas familiares sempre nos deixavam em alerta. Quando não era a mãe de Lucas, era o parente de uma criança que brigava com o parente da outra, ou mesmo a avó de uma delas, que chegou a ameaçar nossa supervisora com uma faca, porque achou que ela estava dando em cima de seu marido. Não raro apareciam visitantes bêbados ou drogados até impormos o limite de só liberar a entrada dos que estivessem sóbrios.

Newton aprendeu a falar e, a cada dia, ficava mais chegado a mim. E eu a ele. Tanto que nem notei que ele tinha a língua presa. É engraçado como as crianças se repetem. Cazuza tinha a língua presa e só fui perceber isso muito tempo depois. Quando era pequeno, falava tudo errado, e eu achava uma gracinha. Demorou muito a falar. Eu via minhas sobrinhas e os filhos de amigos falarem logo depois de um ano, e ele só soltou a língua depois de dois anos. Achava muito bonitinho quando João chegava do trabalho e ele, sentadinho na cadeira alta de comer, dizia: "Papaize, você chegou?".

Cazuza também gostava de dar nomes ou apelidos a todo mundo, muitas vezes chamando os parentes por uma sílaba que nem sempre correspondia ao nome da pessoa. Uma de minhas cunhadas tinha quatro filhos e morava com minha sogra em Vassouras. Quando era bem pequeno, Cazuza adorava ir para lá, para a casa de "titanonocanenempapaida". Falava tudo junto como se fosse uma coisa só. Queria dizer o nome dos primos Tita, Loloca, Neném e Aparecida.

Um sino tocou dentro da minha cabeça quando Newton começou a falar. Nunca comentei sobre isso com ele ou com qualquer pessoa na Viva Cazuza. Acho que foi esse um dos motivos que me ligaram a ele.

Maria Beatriz, a prima que Cazuza chamava de Neném, trabalhou durante cinco anos na Viva Cazuza. Um dia, lembrou-se da época em que todos eram crianças e Cazuza ia a Vassouras passar férias.

> Ele era muito carinhoso com os primos e um palhaço. Quando estava lá em casa, podíamos fazer tudo o que não fazíamos o ano todo. Subíamos no telhado, gritávamos até que acendessem as luzes do cinema. Uma vez, estávamos saindo de um, e ele fez um monte de palhaçadas. Minha irmã mais velha apertou o braço dele para que ficasse quieto, e ele começou a gritar "ai minhas aveias". Também roubávamos comida no quarto da vovó. Ela tinha mania de deixar tudo trancado com chave, mas sempre protegeu Cazuza. Quando ele estava junto, não levávamos bronca.
>
> Lembro-me também de uma vez, no Ano-Novo, que Cazuza — devia ter mais ou menos quinze anos — foi à praia com óculos de Zé Bonitinho, todo de branco, dizendo que era filho de mãe de santo. Ele era aquele tipo de pessoa sempre com a resposta na ponta da língua. Gostava de fazer novelas cheias de traição. Ele mesmo escrevia e in-

terpretava todos os papéis; era o marido que batia na mulher, dava um tapa na própria cara, chamava de vagabunda, mudava de voz e dizia que estava grávida. Era coisa de louco, e ninguém podia fazer nada.

Newton é a criança com quem tenho mais afinidade e não consigo esconder de ninguém, nem das outras crianças. Costumo dizer que é porque ele foi o primeiro, mas não é só isso. O gostar não tem muita explicação. Hoje, prefiro que isso fique bem claro e percebo que todos os funcionários têm seus prediletos. As pessoas têm afinidades diferentes e é assim mesmo.

Como sou católica, e tínhamos muitas crianças pequenas, entrei em contato com frei Anselmo, do Convento de Santo Antônio, a quem disse que achava que as crianças deveriam ser batizadas. Ele se propôs vir em casa e fazer um grande batizado. Cada funcionário e cada voluntário batizou uma criança. Sou a madrinha de Newton, e selei meu compromisso com nosso número um.

Elo familiar

Minha passadeira se tomou de amores por Marcel. Quando ele estava para completar dois anos, fizemos um novo teste HIV e o resultado foi negativo. Foi a deixa para que ela entrasse com o pedido de adoção junto ao Juizado de Menores. Hoje, ele tem dezesseis anos.

Como ela é praticamente analfabeta e tem dificuldade auditiva, prontifiquei-me a acompanhá-la. Lembro-me do juiz dizendo que suspeitava que eu estivesse adotando o menino, mas não queria assumir.

Quando Marcel chegou até nós, seu exame era positivo para o HIV. Todo bebê nascido de mãe soropositiva tem resultado positivo por causa da mistura de sangue dos dois. Com o passar do tempo, os anticorpos do HIV da mãe são eliminados e o teste continuará positivo somente se o bebê tiver sido infectado, comprovando a transmissão mãe-filho. Na época, os testes detectavam, com certeza, a soropositividade ou não do bebê a partir dos dezoito meses.

Infelizmente, a AIDS não tem cura nem os testes passam a dar negativo, mas a imprensa sensacionalista adorava dizer que criança HIV positivo tinha sido "curada". Marcel não foi o único, mas o primeiro a "negativar". A partir daí, demos início aos processos de adoção. Sempre ouvi dizer que esses processos são longos, mas essa não foi a nossa experiência.

Era muito comum receber um casal com uma carta de habilitação para adoção. Viam a criança, depois iam até o Juizado e, dois dias depois, saíam daqui com ela. Eu associava o processo ao de compra e venda. Você vai à loja, vê o produto, conversa sobre as condições e leva. E depois? Quase nunca soubemos como foi o depois. Quase nunca tivemos o direito de opinar, de acompanhar, de trabalhar a adaptação da criança à nova família.

Esses vinte anos são repletos de histórias, muitas tristes, mas acho que o tom que conseguimos imprimir ao nosso trabalho não foi de tristeza. Sinto felicidade nas crianças que estão conosco. E não sou a única. Todos os que conhecem a casa se surpreendem com o alto-astral. As crianças estudam em escolas do bairro, têm amigos, praticam esportes, vão a shows e peças de teatro, principalmente porque ganhamos ingressos.

Já houve ocasiões em que o bom astral foi abalado. Recebemos visitas de pessoas que ligam manifestando interesse em conhecer nosso trabalho. Hoje, agendamos dia e hora, mas no princípio não tínhamos regras e as visitas eram liberadas. Sempre aparecia alguém sem cerimônia, à noite, atrapalhando o sono ou as refeições das crianças. Uma visitante chegou a perguntar, na frente de todos, onde estavam as crianças muito doentinhas, magrinhas, que não saíam da cama. Foi a maior decepção quando dissemos que não tínhamos as crianças que ela esperava encontrar. Alguns perguntavam aos supervisores que acompanhavam as visitas: "E esse gordinho, também tem AIDS? Ah, não acredito".

Mais de setenta crianças passaram pela casa ao longo desses anos. Algumas permanecem, algumas foram adotadas, outras reintegradas à família e outras transferidas para abrigos. Uns deixaram marcas fortes, e costumo dizer que aprendo diariamente com eles. Fomos construindo uma família. Eu, as crianças e os funcionários da Sociedade Viva Cazuza.

Como muitos perderam seus pais e eu perdi meu filho, parece natural que fosse construído, aos poucos, um elo amoroso, afetivo e familiar.

Entre lágrimas, risos, brincadeiras, medos, entradas e saídas de crianças e de funcionários, a família foi constituída. É isso mesmo. Chamo esse elo, essa convivência, essa troca de amor, de família. Por que não? É certo que pela minha idade estou mais para avó. Mas quantas avós não criaram seus netos? E qual o conceito mais apropriado para definir a família hoje? Convivemos com casais separados, irmãos de pais diferentes, de mães diferentes, crianças crescendo com um elo mais forte com o padrasto do que com o pai, mães solteiras, produção independente, filhos de barriga de aluguel, filhos gerados no útero da avó, irmãos que cedem esperma para engravidar a cunhada.

Muita coisa mudou, tudo mudou, e temos que nos adaptar.

Decisão difícil, mas acertada

Íamos sempre à escola. Fizemos várias palestras, participamos de todas as festas, reuniões de pais e mestres, tudo na tentativa de conquistar os pais dos outros alunos e de diminuir a resistência e o preconceito.

Fizemos roupas para a festa junina. Inês era a noiva, Fernando, o noivo, os dois cada vez mais ligados um ao outro. E Fernando começou a ficar doente, a não responder ao tratamento. Perdia peso a olhos vistos. Depois de uma rápida internação hospitalar, ele disse à dra. Loreta que não queria mais ir ao hospital. Um dia, ela me falou:

— Lucinha, estou ficando preocupada com a saúde de Fernando, ele não responde ao tratamento.

— O que você acha que devemos fazer? — perguntei.

— Olha, Lucinha, não vejo motivo para interná-lo, acho que ele não iria se beneficiar, o que eles vão fazer lá, nós podemos fazer aqui.

— E, então, o que faremos? — perguntei outra vez.

— Aqui, ele ainda terá, além do tratamento, todo o carinho das pessoas que conhece, poderá comer uma comidinha caseira e o que quiser. Só o fato de estar perto de todos vai ser muito bom para ele.

— E as outras crianças? — quis saber.

— De uma forma ou de outra, a maioria já viveu uma perda. Acho que vale a pena arriscar.

— Você quer dizer...

— Que ele pode morrer em casa. Nossa experiência no hospital nada trouxe de bom, e o Fernando vai morrer da mesma maneira. A verdade, você sabe, é que ainda não há um tratamento eficaz no caso dele.

Fiquei apavorada com a ideia e pedi um tempo para pensar melhor. Depois, fizemos uma reunião de equipe. A dra. Loreta expôs sua posição para todos e, juntos, decidimos assumir que Fernando ficaria em casa, só iria para o hospital se houvesse uma situação que o beneficiasse. Conversaríamos com as crianças, explicaríamos tudo com a ajuda de psicólogos. E assim fizemos.

Fernando foi emagrecendo, ficou separado das outras crianças numa pequena enfermaria que montamos, equipada com todos os procedimentos necessários. Oxigênio, medicação venosa e ambu (reanimador em silicone com balão de insuflação transparente). Ele seria internado se precisasse de CTI.

De vez em quando, ele pedia um queijo quente, via televisão, e adorava ficar no colo. Não foi preciso explicar muito para as crianças, elas entenderam rapidamente o que estava acontecendo. Uma de nossas supervisoras descia para o pátio com ele no colo para tomar um pouco de sol e para que ele visse as outras crianças brincando.

Sem ter voltado ao hospital, em julho de 1996, ele morreu em casa. Como havíamos combinado, cercado do carinho de todos.

Também combinamos que, assim que ele morresse, um dos supervisores levaria as crianças para dar uma volta. Achávamos que não havia necessidade de elas verem o corpo de Fernando. Outro funcionário chamaria a funerária, cuidaria do enterro.

Quando as crianças voltaram do passeio, ele já havia partido, e uma voluntária, Tânia Loureiro, conversou com elas, sugeriu que fizessem desenhos. Ela contou tudo de forma tão bonita que alguns queriam virar uma estrelinha e brilhar no céu como Fernando.

A perda foi devastadora para todos, causou um impacto muito maior que a morte de Marcelo. Porque Marcelo esteve conosco muito menos tempo do que Fernando, o convívio foi significativamente menor. E porque vivemos tudo bem de perto. Ficamos em dúvida se nossa atitude estava certa até que uns dias depois Stefani, que era a mais velha, disse assim:

— Tia, se eu ficar doente, vocês vão me deixar morrer em casa como fizeram com o Fernando? Eu não quero ir para o hospital e ficar lá...

Nesse momento, tive certeza de que nossa decisão foi acertada.

Luiz Caldas e Cazuza

A chegada do coquetel

Enquanto Fernando morria, foi lançada uma nova classe de antirretrovirais. A imprensa imediatamente chamou as novas drogas de coquetel.[1] Pela primeira vez, desde que o HIV foi isolado, em 1983, a XI Conferência Internacional de AIDS, que em 1996 aconteceu em Vancouver, no Canadá, trouxe alguma esperança.

Àquela altura, nosso trabalho estava mais estabilizado. O coquetel trouxe qualidade e quantidade de vida aos pacientes, e possibilitou um milagre para aqueles que já tinham esgotado as formas conhecidas de tratamento.

O emagrecimento, a queda de cabelo e a mudança na cor da pele, características típicas dos pacientes com AIDS, estavam com os dias contados. Ninguém mais diria que uma pessoa era portadora do vírus HIV ex-

---

1 O coquetel é o uso combinado de dois ou mais antirretrovirais.

clusivamente por sua aparência. Melhor, o Ministério da Saúde assumiria a compra dos medicamentos, e daria livre acesso a todos os pacientes.

O panorama da AIDS mudou muito. Se até 1996 vivíamos sobressaltados com a saúde das crianças, com a quantidade de notificações de mortes e com os novos doentes que recebíamos semanalmente, a partir do coquetel começou uma nova etapa de trabalho.

Tenho um pensamento recorrente: por que Cazuza não pôde esperar? Fizemos tudo o que era possível na época. Desde o tratamento em Boston, considerado o melhor, até consultas a pai de santo, passando por novenas, injeção de sangue de cavalo, que hoje entendo ser uma farsa. Tentamos de tudo, e sempre acho que merecíamos mais uma chance.

Nos fins de tarde, as crianças e os adolescentes costumam vir ao meu escritório. É um momento de intimidade que curtimos juntos. Os meninos chegam da escola com os cabelos colados na cabeça de suor. Jogam futebol no recreio e, por isso, exalam uma morrinha típica de quem gastou energia, de quem tem um futuro pela frente, coisa que me dá sensação de vida.

As meninas estão sempre maquiadas e usam brincos, pulseiras, colares e salto alto. Nada é mais importante no mundo do que isso. Quer dizer, junto com os meninos, é claro. Fulaninha está a fim de fulaninho, que ficou com não sei quem, e por aí vai. Todos têm AIDS, mas desejos e sonhos são iguais aos de qualquer adolescente. Há algo de fantástico na superação da doença. Acho que, às vezes, eles esquecem a doença, apostam que é melhor simplesmente viver e não pensar mais nisso. Mas não vejo que tenham sede de vida, pressa de quem tem uma doença incurável. Acho que é porque a AIDS, hoje, já permite mais tempo de vida. E, infelizmente, essa vida com tia Lucinha não é para sempre.

Cazuza não queria falar em doença, e seus shows tinham sempre vida como tema. Depois que se descobriu doente, produziu como nunca, não podia perder um segundo, mas essa sempre foi uma característica sua. Viver a vida a mil.

Agora, há uma turma de crianças que diariamente vem à nossa casa, me chama de tia e fica na maior intimidade em meu escritório. Dou-me muito bem com adolescentes, adoro suas brincadeiras, sua energia, seu deslumbramento em relação a tudo. Às vezes, eles jantam juntos e pedem para ficar e dormir, o que me dá a maior satisfação. Saber que, pelo menos nesse grupo, não há preconceito algum. Muitas vezes me pego pensando em Deus, que Deus é esse que traça nossos caminhos?

Essas crianças têm a oportunidade de estudar num bom colégio, levar uma vida de classe média graças ao infortúnio de terem se contaminado com o HIV através de suas mães. O que teria sido delas se não estivessem lá? Como viveriam se fossem negativas para o HIV?

Temos um menino de doze anos. Quando chegou, soube que ele não tomava os remédios de que precisava. A mãe trabalhava como doméstica, as irmãs estavam num abrigo em Jacarepaguá, e ele ficava em casa sozinho, aos oito anos de idade. É claro que ele não podia tomar os remédios. Numa das visitas da família, as irmãs ficaram possessas com a mãe, porque o irmão estava num lugar melhor que o delas. No limite, chego a pensar que a AIDS foi uma sorte na vida de alguns deles. Não fosse a doença, estariam numa situação pior, muito pior.

Nossa experiência indica que a AIDS é apenas mais um problema na vida dessas pessoas. Histórias de abuso sexual, maus-tratos e abandono são tão comuns que levam as crianças a se adaptar sem dificuldades quando chegam a nossa casa. Claro, é sempre mais fácil se adaptar quando é para melhorar a vida.

Uma menina impossível

Inês, que nunca foi uma criança de temperamento fácil, sentiu particularmente a perda de Fernando. Passou a manifestar mudanças de comportamento. Aos sete anos, franzina e negra, deu lugar a uma menina que só pensava em estragar, em atrapalhar a brincadeira dos outros, quando antes andava tranquilamente pelo pátio. Fazia cocô na cama de outras meninas, quebrava brinquedos em momentos de raiva, e chegou a pôr fogo na lixeira do colégio, entre outras demonstrações de agressividade. De certa forma, ela sentia a morte de Fernando e também se sentia ameaçada. A avó paterna insistia que ela era igual ao pai, um menino problema, expulso de todas as escolas por onde passou.

Tentamos ajudá-la por meio de terapia durante todo o período que passou conosco, mas nunca notamos algum efeito. Dizem que terapia ajuda a conviver com o problema, não a resolvê-lo. Achávamos que o discurso da avó exercia grande influência em seu comportamento. Inês precisava se identificar com alguém — a mãe era viva, mas nunca havia convivido com ela, e a entregou aos avós paternos. Dois ou três anos depois de sua chegada, a mãe teve outra filho com o novo parceiro.

Uma das coisas que Inês mais gostava de fazer era amarrar uma camiseta na cabeça, como se fosse uma fita, e senti-la batendo nos ombros — a sensação era a de ter cabelos compridos. Como seu cabelo era muito crespo e curto, e ela jamais conseguiu que crescesse, a camiseta se tornou o objeto de sua fantasia.

Uma peruca loura, com cabelos longos e lisos, surgiu certa vez do nada, perdida entre as doações que recebemos. Inês ficou louca, não tirava a peruca, que era disputada acirradamente por outras crianças. Um dia, levou a peruca para a escola, que rodou de mão em mão e acabou destroçada. Foi uma grande tristeza.

Inês adorava ficar despenteada, com o cabelo eriçado. Parecia ter saído do banho, encostado na tomada e levado um choque, como nos desenhos animados. Acho que, às vezes, se sentia muito feia, e, quando passava por momentos difíceis, não economizava esforços para piorar a sua imagem. Quando cresceu um pouco, passou a exibir o sexo para os seguranças — atitude que muito nos preocupava. Como dormia no térreo, sentava-se na janela do quarto, sem calcinha, e abria as pernas.

Nossa primeira providência foi transferi-la para o segundo andar. Apesar das conversas, das broncas, dos castigos — como perder o passeio no final de semana —, das conversas com a avó e com a psicóloga, nada parecia surtir efeito. Na tentativa de uma mudança de comportamento, todos os educadores conversaram com ela, que foi ficando mais difícil a cada dia. As outras crianças a tudo assistiam. E sofriam.

Muitas sessões de terapia depois, supomos que a razão daquele comportamento talvez fosse o desejo de Inês morar com a avó, e suas atitudes foram o modo que encontrou de chamar atenção, demonstrar descontentamento, provar que gostaria de tentar algo diferente na vida. Conversamos com a avó e com a psicóloga, e a preparação para a reintegração familiar começou. Durou mais de um ano.

Em 1999, Inês foi morar com a avó. Até hoje tem problemas de comportamento. Acompanhamos sua vida de longe e, eventualmente, nossos supervisores a encontram. Os problemas na escola não foram resolvidos e, mesmo agora, aos dezoito anos, com a saúde abalada, Inês apronta.

Travessuras e sustos

A Viva Cazuza foi minha escolha e tento mantê-la a qualquer custo. Assim como a memória de meu filho. Por falar em memória, uma coisa que aprendi com o tempo é como as pessoas querem pegar carona na fama ou no nome dos outros.

No início, recebíamos milhares de propostas de quem queria promover um evento e doar parte da renda à Sociedade Viva Cazuza. Com divulgação na imprensa, sempre generosa conosco. Aceitávamos todos os projetos, mas depois fui percebendo que todos saíam ganhando, menos a Viva Cazuza. Apesar do sucesso da maioria dos eventos, quando chegava a hora do acerto de contas, as despesas eram sempre imensas e o lucro, praticamente nenhum.

Hoje não participamos de nada sem que tenhamos um documento assinado, que esclareça todos os detalhes: quanto da renda cabe à Viva Cazuza, se essa parte se refere à renda bruta ou líquida etc., etc., etc.

Poucos desejavam efetivamente ajudar. Mas João sempre me disse que não devo esperar que quem não passou pelo que passamos tenha a mesma consciência. Continuo achando que deveria ter, pelo menos, respeito.

Sobrevivemos dos direitos autorais de Cazuza, menores a cada dia, de eventos beneficentes, de doações de poucas pessoas e de convênios eventuais com órgãos públicos. A captação de recursos fica mais difícil a cada ano. O filme sobre Cazuza, que nos deu dez por cento da bilheteria e ajudou a alavancar a venda de CDs, também nos permitiu fazer caixa para enfrentar os anos que, sabíamos, trabalharíamos no vermelho.

Agora estamos totalmente a zero. O que fazer para resolver essa situação, ainda não sei.

Desde que inauguramos a casa de apoio, convivemos com dois fantasmas: a própria doença, que usou sua mão inclemente para levar duas crianças. E a sobrevivência da própria instituição. Quando iniciei o trabalho, optei por desenvolver um projeto que priorizasse a qualidade do atendimento.

Sempre achei que trabalhar com pessoas de famílias pobres e portadoras de uma doença que ainda não tem cura não era motivo para deixar de oferecer um tipo de atendimento personalizado, que preservasse a personalidade de cada um. Por isso, trabalhamos com duas equipes: uma de profissionais contratados e treinados para o atendimento no dia a dia, formada por supervisores, pedagogos, assistentes sociais, educadores, auxiliares de enfermagem, pessoal de limpeza, de lavanderia e de cozinha, além de vigias noturnos. Outra composta de voluntários, a maioria profissionais de saúde que atende em seus consultórios. São médicos, psicólogos, fisioterapeutas, fonoaudiólogos, dentistas e ainda professores de inglês, de capoeira, de desenho e de dança.

Muita gente pergunta por que não trabalhamos com voluntários no dia a dia, e sempre explico que tentamos, mas é complicado. Conseguir pessoas que se disponham ao trabalho pesado, com compromisso diário, não é nada fácil. E a rotatividade, quando se trata de crianças sem referência familiar, acaba gerando insegurança e fragilidade emocional.

Numa casa com vinte crianças não se pode chamar de rotina o que acontece cotidianamente. Sempre acontecem coisas, engraçadas ou estressantes, como uma emergência. Ao inaugurarmos a casa, instalei uma pequena piscina de fibra de vidro. Achei que seria ótimo para todos. Não pensei nos problemas recorrentes, como dores de ouvido ou resfriados.

Quando Marcel deu os primeiros passos, atirou-se na piscina. Ele era muito pequeno, e levamos um susto bem grande. Cobrimos a piscina e, mais tarde, o espaço que ela ocupava virou um galpão, onde hoje fazemos as festas de aniversário e onde as crianças ouvem música e assistem à TV.

Até 2005, as crianças faziam uso contínuo de imunoglobulina, medicação venosa que leva cerca de duas horas para ser aplicada, dependendo do peso e da idade do paciente, no Centro Previdenciário de Niterói. Apesar de ser um procedimento desagradável, todos se acostumaram com essa rotina. Quando o supervisor as levava, as crianças que ficavam em casa choravam porque queriam ir também. Um dia, terminadas as doses, Pedro Chicri, nosso supervisor, pôs todas as crianças no carro para voltar ao Rio. No meio do caminho, uma delas disse:

— Tio, olha como o Emerson está esquisito.

Pedro olhou pelo retrovisor e se deparou com uma imagem perturbadora de Emerson. Totalmente vermelho e inchado, parecia uma bola. Pedro ficou apavorado, ligou pelo celular para o médico que havia feito o atendimento e explicou o que se passava. O médico ordenou o retorno imediato ao Centro. Alérgico ao medicamento, Emerson passava por um choque anafilático. Graças a Deus, eles ainda não tinham alcançado a ponte Rio-Niterói. Sem saber o que estava acontecendo, Emerson ria, achava a maior graça. Somente quando chegou ao hospital, Pedro se deu conta do risco que o menino havia corrido.

Mais tarde, descobriram que o lote do medicamento estava deteriorado e que outros pacientes tiveram a mesma reação alérgica. Depois desse susto, Pedro, sempre que ia a Niterói, esperava um tempo razoável antes de voltar.

Na primeira vez em que acompanhou uma criança que faria punção lombar, procedimento um tanto assustador porque é retirado líquido da medula com uma agulha, Pedro ficou apavorado. Abraçou a menina, Stefani, e disse que se doesse ela poderia apertar sua mão. Começado o exame, ela abriu a boca — "Ai, está doendo" —, e Pedro ficou ainda com mais medo. E Stefani continuou dizendo que doía. Cada vez mais. Enfim, ela se fez entender:

— Tio Pedro, você está apertando muito a minha mão, e ela está doendo.

Àquela altura, o exame já havia acabado, e os dois morreram de rir. Pedro se lembra de outra situação engraçada, como a visita de uma autoridade à casa de apoio. Ele mandou arrumar tudo, espargir perfume nos quartos, vestir as crianças com as melhores roupas. Quando se deu conta do sapato de verniz de uma menina, percebeu que estava sem salto. O tempo era curto, a visita estava para chegar. Recomendou à menina que evitasse andar muito para não mancar. A visita foi ótima, todos elogiaram muito a casa. Depois, chamei Pedro e questionei por qual razão as crianças estavam vestidas com aquelas roupas de festa, afinal era só uma visita no meio da tarde. O importante, disse eu, era que as crianças estivessem limpas e arrumadas. Muito tempo depois, rimos muito quando ele contou o detalhe do salto.

Em outro episódio, Maria Beatriz, assistente de supervisão, estava no pátio com as crianças menores brincando com Tânia, que, aos cinco anos, havia chegado com lábio leporino e fenda palatina. Como a cirurgia corretiva seria feita tempos depois, Tânia tinha dificuldade para falar.

Depois da brincadeira, Beatriz voltava ao escritório quando foi chamada por Jair, irmão de Tânia. O menino estava assustado porque a irmã não respondia. Beatriz a encontrou sentadinha no balanço, com a cabecinha caída e os olhos virados. Ana Lúcia, auxiliar de enfermagem, pegou a criança no colo, colocou-a no oxigênio, enquanto Beatriz acionava a dra. Loreta e a emergência. Por sorte, a ambulância do SAMU chegou rapidamente, e Tânia foi levada ao hospital. Lá, fizeram exames, raios X, tomografia e, depois do tratamento, Tânia ficou bem.

Mais um susto.

Preconceito

Apesar de receber muitos convites, o que demonstra total apoio do meio artístico a nossa causa, não podemos dizer a mesma coisa do público em geral. Desde o início de nossas atividades, percebemos diversas formas de preconceito. No início, nossos funcionários tinham muito medo de trabalhar com as crianças, queriam usar luvas o tempo todo, mas isso foi resolvido com os treinamentos.

Além do receio, eles contavam que se saíssem do trabalho vestidos com a camisa da Viva Cazuza algumas pessoas no ônibus se afastavam. Relataram problemas inclusive nas comunidades onde viviam e dentro de suas próprias famílias.

Com o tempo, os funcionários foram se tornando multiplicadores de informações corretas sobre as formas de contaminação pelo HIV. Mas não foram poucas as vezes em que chegamos a uma praça pública e, quando viam o carro com o logotipo da Viva Cazuza, aos poucos o local ia se esvaziando.

As crianças reclamavam, não queriam ir à escola com os educadores, porque eles usavam o uniforme e se sentiam constrangidos. Também não faltaram pais que tiraram seus filhos da escola para evitar riscos de contaminação por causa da convivência com as nossas crianças. Outros orientavam os filhos a se afastar de quem vivia na casa de apoio, e percebemos preconceito também nos professores, apesar de terem acesso às informações corretas e saberem que as crianças não traziam risco algum a quem quer que fosse.

Com o objetivo de enfrentar o preconceito, ou pelo menos diminuí-lo, fomos várias vezes às escolas. Mas quando o preconceito não é fruto da desinformação é muito difícil combatê-lo. Principalmente quando é velado. É a pior forma, porque é covarde. Jamais me furtei a comparecer à escola e, sempre que houve necessidade, fui a primeira a brigar pelos direitos das minhas crianças. Tentamos ensiná-las a conviver com o preconceito. E a melhor maneira de lidar com ele – embora ache que não exista maneira boa de se lidar com preconceito – é de frente. Minhas crianças sabem que podem contar comigo. Sempre.

Stefani era a mais velha da casa, tinha bom desempenho, e pensei em matriculá-la numa escola particular do bairro, aonde pudesse ir a pé. Nossa orientadora educacional foi à escola se informar sobre a matrícula, mas não disse que a criança era da Viva Cazuza. Stefani teria que se submeter a dois testes. Fez a primeira prova, passou, e foi autorizada a fazer a segunda. A orientadora voltou à escola para saber o resultado. Os funcionários, muito satisfeitos, deram a notícia de que Stefani havia sido aprovada e que a matrícula dependia tão somente do pagamento.

Quando viu que o cheque era da Sociedade Viva Cazuza, o funcionário da tesouraria pediu licença e sumiu por uma porta. Voltou dizendo que havia um engano, que a menina não havia passado nos testes e seria submetida a outros. Como recebemos, por escrito, o procedimento de matrícula, não tivemos dúvida. Era preconceito.

Christina ligou para a escola e comunicou ao diretor que registraria uma queixa na polícia, porque estava caracterizado o preconceito. Avisamos a imprensa, a notícia saiu nos jornais e na televisão. Foi um escândalo. Também notificamos o Juizado de Menores, e o juiz Siro Darlan se prontificou a nos apoiar. Demos entrada numa queixa-crime, mas naquela época não havia pena para esse crime.

A escola tentou dizer que o caso não era bem assim, que aceitava a aluna, mas recusamos a oferta com medo de que Stefani sofresse num ambiente como aquele.

Em resumo, nada aconteceu.

Depois desse episódio, em 2000 foi aprovada uma lei da deputada estadual Solange Amaral que previa pena[1] para quem praticasse atos preconceituosos contra portadores do HIV no estado do Rio de Janeiro. Foi o resultado de muitos anos de luta de todas as ONGS.

Uma vez, as crianças estavam numa pracinha e uma senhora perguntou se poderíamos receber crianças que não fossem soropositivas. Ela sentiu felicidade no grupo e viu como eram bem tratadas.

---

1 Na época, a pena era uma multa de 5 mil a 10 mil UFIR's, duplicada em caso de reincidência

Atração por banheiro

Sempre fico impressionada com a fascinação que as crianças têm por banheiros. Não há lugar que vá com elas sem que o primeiro pedido seja para ir ao banheiro. É quase uma obsessão. Elas não têm nenhum problema de saúde que as obrigue a ir com frequência ao banheiro. Gostam mesmo de comparar — qual o mais bonito? — e de admirar os equipados com protetor de plástico nos vasos e aqueles em que pias e descargas são acionadas por células fotoelétricas.

João tem prazer em pagar a conta quando levo as crianças para jantar fora. Tenho o hábito de comer com a garotada no Porcão do Aterro do Flamengo, churrascaria que me dá 30% de desconto e sempre nos ajuda em nossas festas de Natal. É um presente que me dou, e sempre nos divertimos muito. Além de a vista ser linda, as crianças são loucas por churrasco. Todos os garçons já nos conhecem, por isso o atendimento é especial.

Uma vez, fomos em dois carros, na Besta da Viva Cazuza e no meu. Depois que todos se fartaram de comer, de brincar, de encenar um desfile de moda num canto do salão e de passear no jardim, os pequeninos começaram a cair de sono enquanto os adolescentes zanzavam de um lado para o outro. Já era bem tarde. Paguei a conta, arrumamos todo mundo nos carros e fomos embora. No meio do caminho, recebemos um telefonema do Porcão. Duas meninas que foram ao banheiro ficaram por lá, perderam o bonde. Até hoje todos caem na pele das duas por causa desse episódio.

Outra vez, ganhamos convites para o show da Xuxa, e Pedro carregou todo mundo. Tínhamos um camarote com a maior mordomia. Antes do fim do espetáculo, um produtor foi ao camarote e convidou Pedro e as crianças para irem ao camarim. Elas deveriam descer um pouco antes do fim do show. Animado, Pedro recolheu casacos e bolsas, e todos desceram atrás do produtor.

— Foi o maior tumulto. Tinha um mundaréu de gente, e passar com quinze ou vinte crianças no meio da multidão não foi fácil — conta Pedro.

Quando chegaram ao camarim, Pedro começou a contar as crianças. Ficou apavorado, porque faltava uma. Contava e recontava. Um dos mais velhos também ajudou na checagem e dizia que estava tudo certo, que não faltava ninguém. Pedro insistia até chegar à conclusão de que não incluiu a criança que estava em seu colo.

Vovó postiça

Clara Fernandes, minha irmã, a vovó Clarinha, como as crianças gostam de chamá-la, é a única voluntária que vem todos os dias à Viva Cazuza.

Juan estava numa sessão de fonoaudiologia quando perguntaram: "Quem cuida dos nossos dentes?". "O dentista", respondeu. Aí perguntaram: "Quem cuida do jardim?". "A vovó Clarinha."

Esse é um pouco o papel dela. De vez em quando, dá broncas, mas traz chocolate e faz algumas vontades das crianças. Clarinha me disse que jamais pensou que a essa altura da vida pudesse ser útil a alguém. Já estava aposentada, com filhos e netos criados, e achava que havia cumprido sua missão.

Quando veio me ajudar, Clarinha encontrou um novo sentido para a sua vida. Ela foi sempre uma irmã muito próxima. Sempre esteve ao meu lado, especialmente quando Cazuza ficou doente. Acompanhou-me no Brasil e em Boston, durante o período em que ele esteve internado lá.

Às vezes, tenho a sensação de que Clara, como irmã mais velha, quer me poupar. Infelizmente, ninguém pode nos poupar do que temos de viver. Acho que contar com uma pessoa que cumpra esse papel na Viva Cazuza faz nossa casa ser mais humana e leve, apesar de as crianças saberem que Clarinha não é a avó delas. Mas poder chamar de vovó é sempre bom. Lembro como as avós de Cazuza foram importantes para ele. Tanto minha mãe como a mãe de João disputavam o neto e realizavam seus desejos.

Tristes separações

Eliana tinha dois anos quando ganhou um irmão. De acordo com a mãe, o pai da menina havia acabado de morrer em consequência da AIDS. Ela também era portadora da doença, assim como os filhos. Estava morando num barraco habitado por ratos. A igreja ajudava com a comida, mas a mãe não tinha condições de cuidar das crianças. Sua família era da Paraíba, e ninguém podia ajudar.

A menina era graciosa, totalmente desinibida, adorava dançar e, para seus dois anos de idade, tinha domínio absoluto do ritmo. A mãe contou que, antes de vir para a Viva Cazuza, Eliana havia passado por outra instituição. O menino, embora tentasse dar os primeiros passos, apresentava um pequeno problema motor, que foi observado por nossos fisioterapeutas voluntários.

Incansável nas sessões de fisioterapia, o menino conseguiu superar o problema e criou um forte vínculo afetivo com o profissional que o atendia. Quando completou dezoito meses, apresentou exame negativo para o HIV e Marcos, o fisioterapeuta, quis adotá-lo.

A mãe da criança não era muito presente, mas os irmãos tinham uma tia-avó, por parte de pai, que sempre os visitava e era muito cuidadosa e carinhosa com os sobrinhos. Conversamos com ela sobre as pretensões de Marcos, e ela garantiu que ficaria muito feliz se, de fato, ele pudesse adotar o menino. Lembrou a instabilidade emocional da mãe, em quem não confiava, e deixou claro que tudo dependeria, exclusivamente, dela, que estava desaparecida havia alguns meses. O telefone e endereço que nos deu como referência não correspondiam, e ficamos de pés e mãos atados esperando que aparecesse.

Quando enfim retornou, a assistente social teve uma conversa séria com a mãe. Explicou que não poderia ficar tanto tempo sem ver os filhos. Ela contou que havia se mudado e que retomaria as visitas regularmente. Foi comunicada sobre o exame do menino e sobre as duas opções que existiam: voltar a viver com ela ou ser adotado.

A mãe e Marcos foram ao Juizado. Ele, para se habilitar como candidato à adoção. Ela, para conversar com o assistente social e o psicólogo sobre sua decisão de permitir a adoção. Entre entrevistas e o cumprimento de exigências, o processo se arrastou por tempo suficiente para a mãe ter certeza da decisão. A adoção foi concluída.

A essa altura, Eliana já tinha quatro anos e entendia o que estava acontecendo. Julgamos ser conveniente que ela fizesse terapia, mas não imaginava qual terapia seria capaz de trabalhar o sentimento que a vitimou. Primeiro, a perda do pai, depois o abrigo com o irmão, a ausência da mãe e o afastamento do irmão.

Na maioria das vezes, as pessoas lidam mal com as dificuldades e acabam culpando os outros pelos momentos de angústia. Com a mãe de Eliana não foi diferente. Ela deixou de visitar a filha novamente, mas, numa de suas consultas médicas, no Hospital Evandro Chagas, disse à médica que a "obrigamos a dar o filho porque ele havia ficado negativo para o HIV".

Meio sem graça, a médica veio nos contar essa história. Sem graça e ao mesmo tempo indignada, porque não entendia como fomos capazes de ter feito uma coisa daquelas com a mãe. Explicamos que aquilo jamais havia acontecido, que a responsabilidade era inteiramente da mãe, e que existia um longo processo judicial. Para nós causou estranheza ela ter posto o filho para adoção, já que engravidou novamente e teve outro filho — que morava com ela — de um novo relacionamento.

Depois do nascimento do menino, a relação de Eliana com a mãe piorou. Ela continua conosco, e hoje tem dezoito anos. Tentamos um processo de reintegração familiar, primeiro com a tia-avó, com quem Eliana tem o maior vínculo afetivo, mas ela recusou a sobrinha, e argumentou que a mãe de Eliana está viva e que aquela decisão era sinônimo de problema no futuro. Alegou ainda não ter mais idade para criar uma adolescente.

Fizemos uma tentativa com a própria mãe, mas Eliana tomou a iniciativa de escrever uma carta à juíza Ivone Caetano, contando que não queria morar com a mãe, que a fez sofrer muito, e que seu lugar era conosco. Apesar de muito inteligente, seu futuro nos preocupa. Ainda não percebemos que ela tenha qualquer interesse por alguma coisa específica, como observamos em outros adolescentes matriculados em cursos profissionalizantes. Gostaríamos de vê-la encaminhada na vida.

Adolescentes nem sempre são fáceis. Têm uma espécie de pensamento mágico, uma fantasia de que a vida acontece por si mesma. Acham que não precisam se esforçar para conquistar o que de fato desejam. Durante uma conversa, Eliana me contou que uma de suas lembranças mais tristes foi o momento em que seu irmão saiu para adoção. Ela não queria se separar dele de jeito nenhum. Vez por outra, eles se encontram e esse estar junto é sempre ótimo. Talvez por isso ela não entenda por que os dois não se falam com mais frequência. Eliana se sentia protetora do irmão e, sempre que alguma criança queria bater nele, ela o protegia. As festas de Natal estão entre as suas melhores recordações. Apesar da tristeza pela separação, ela demonstra estar feliz.

Dever cumprido /Morrer na praia

Wellington sempre foi um termômetro da casa. Como era muito inteligente, foi a primeiro a fazer perguntas difíceis de serem respondidas. Rapidamente se tornou líder e fazia a maior bagunça. Mas também era extremamente doce. É o tipo de criança que todos gostam de ter por perto. Sabia que Newton era o mais próximo de mim, e rapidamente aprendeu a usá-lo para conseguir o que queria.

Logo percebi sua jogada, mas ele era irresistível. Na medida do possível, cedia e fazia suas vontades. Sempre tentei dar a eles mais do que o básico, e acho fundamental dar tratamento diferenciado a cada um. Quando Wellington não queria fazer uma coisa, envolvia a todos, e dava o maior trabalho para desfazer a teia que havia construído.

É claro que tentamos trazê-lo para o nosso lado e, sempre que conseguíamos, não havia melhor porta-voz entre as crianças. Desde cedo, tentamos educá-los no sentido de que cada um arrumasse a própria cama, lavasse as roupas íntimas, ajudasse em algumas tarefas da casa. Sempre tivemos dificuldades com essa rotina. Eles não a levavam muito a sério.

Adolescentes são preguiçosos, e, como eles são portadores de uma doença sem cura, fico com pena e deixo que relaxem nas tarefas diárias. Mas conseguimos que Wellington fosse o responsável pela distribuição delas. E ele não perdoava os amigos, levava a sério seu "cargo", na hora de cobrar resultados. Wellington sempre foi bom aluno. Ele e Stefani tinham duas tias que, às vezes, os visitavam. Uma era mais próxima, e com a chegada da adolescência passamos a trabalhar a reintegração familiar.

Primeiro trabalhamos a de Stefani, mais velha; depois, a de Wellington. Reintegrados, propusemos que entrassem em nosso programa de adesão ao tratamento, mas preferiram não participar, porque moravam longe. Os dois mantêm contato com os adolescentes que ainda estão na Viva Cazuza por causa da participação em projetos no Grupo Pela Vidda, de Niterói, no Saber Viver e no Teatro do Oprimido.

Wellington estuda e trabalha, é um jovem bonito. Stefani perdeu um ano na escola porque esteve doente e agora se trata em outra unidade pública. Está em tratamento para pacientes que fizeram uso de muitas drogas. Tenho a impressão de que eles deram certo na vida, de que nosso trabalho foi positivo, de que rendeu bons frutos.

Sempre dormimos com essa dúvida: se conseguimos fazer mais do que tirá-los de um risco iminente de vida e se conseguimos dar condições para que encaminhem suas vidas com os próprios pés, por eles mesmos.

Às vezes tenho a sensação de nadar, nadar e morrer na praia.

Com dezesseis anos, Rodrigo foi reintegrado à família. Ele passou a morar com o tio paterno em Duque de Caxias, na Baixada Fluminense. Estranhou muito a mudança, porque sempre viveu na Viva Cazuza. Pedia para dormir aqui na casa durante os fins de semana, vinha uma vez por mês para participar do projeto de adesão ao tratamento, telefonava. Ficou muito claro que seu vínculo e suas referências éramos nós. Rodrigo seguia triste com sua nova vida. Não se adaptou às mudanças. Notamos seu emagrecimento, logo Rodrigo, tão guloso, mas ele dizia que continuava comendo bem. Alguma coisa estava errada.

Sempre que vinha aqui, trabalhávamos sua adesão ao tratamento. Ele garantia que estava se cuidando, mas não era verdade. Ia ao médico, mas acho que não tomava os remédios corretamente. Ficou doente, foi internado com tuberculose e pneumonia.

Dois anos depois de ir embora, Rodrigo morreu. Uma perda irreparável, que trouxe de volta a sensação de nadar, nadar e morrer na praia. Principalmente por saber que morreu antes da hora. É difícil conviver com essa dor. Para todos nós foi devastador acompanhá-lo ao cemitério São João Batista.

Sem barreiras

Newton era uma criança cativante. Passou a ir à escola feliz da vida. Os obstáculos surgiram quando começou a alfabetização. Ele tinha grande dificuldade de aprendizado. A princípio, achei que pudesse ser problema da escola, mas logo descartei a ideia, já que todas as crianças de sua idade aprenderam a ler e a escrever.

Notava que ele era dispersivo, mas não o suficiente para justificar seu entrave na escola. Maryse Müller, minha grande amiga que é fonoaudióloga, recomendou que eu levasse Newton a uma consulta para avaliação. Problemas constatados, ele foi encaminhado a uma psicopedagoga. Em alguns meses de tratamento, notamos os resultados.

Newton está com dezesseis anos, e continua dispersivo. Tem interesse por tudo, mas não se fixa em nada. A única coisa que, de fato, prende sua atenção é o futebol. Depois do trabalho com a psicopedagoga, ele fez psicoterapia, e agora está mais maduro, é bastante esforçado.

Há um ano, recebemos a visita de uma equipe americana interessada em fazer um vídeo sobre crianças e AIDS, chamado *Tiny tears*, com produção na Tailândia, em Uganda e no Brasil. Quando decidiram pelo Brasil, escolheram nossa instituição. Convivemos com a equipe durante uma semana. Foi muito interessante, porque, pela primeira vez, antes de começarem a filmar e a entrevistar as pessoas, procuraram conhecer o trabalho, conviver com as crianças, entender seu cotidiano para, somente depois, iniciarem as filmagens. Quase toda a equipe era composta de americanos. Apenas um deles era brasileiro, mas a língua não impediu que as crianças se fizessem entender. Ficaram amigos, e essa troca foi muito positiva para todos. Nossos adolescentes se sentiram respeitados.

    Meses depois, recebemos e-mail de uma ONG americana informando que o diretor do filme havia recomendado nosso trabalho. Essa ONG promove um acampamento de verão na Pensilvânia, específico para crianças e para adolescentes HIV positivos, e manifestou desejo de convidar Newton para acampar naquele ano. Ficamos muito felizes pelo convite e por constatar que crianças e adolescentes conseguem quebrar a barreira da língua, estabelecer uma comunicação e chamar atenção para eles mesmos. Há dez anos isso era impensável.

Casa ampliada

Já ocupávamos integralmente o imóvel que a prefeitura nos havia cedido, mas o escritório era muito acanhado, pegado à enfermaria, longe do ideal. Pedi à prefeitura a cessão de uso de um terreno baldio, vizinho à casa, onde um dia houve uma praça. O terreno servia de banheiro de moradores de rua que viviam debaixo do viaduto em frente.

Não demorou muito e conseguimos a cessão. A primeira providência foi erguer um muro e limpar o terreno. Pedimos para preservar as árvores. Queria instalar ali a nossa sede administrativa e deixar a casa exclusivamente para as crianças. Pensava em fazer duas enfermarias, totalmente equipadas, em condições de atender a todas as internações domiciliares, com direito a soro, medicação venosa, oxigênio, camas hospitalares etc. Menos CTI.

Desde que Fernando morreu, ficou claríssima a importância de contar com um espaço para aquele tipo de internação. As crianças têm acesso ao tratamento, não se afastam das pessoas com quem mantêm vínculos afetivos, não correm risco de contrair infecções hospitalares e se livram da sempre incômoda e difícil internação num hospital.

Pedi a Márcia Müller, arquiteta, minha afilhada e filha de minha amiga Maryse, que fizesse a planta. Ela contou com a colaboração de Cecília Borgeth e da dra. Loreta, a quem coube orientar sobre as exigências legais para a instalação de uma enfermaria. Fomos à luta.

Hoje, temos um bom escritório e uma sala de estudos com banheiro, no primeiro andar, para as crianças fazerem o dever de casa e estudarem. No andar de cima ficam o consultório médico, outro banheiro, uma farmácia, duas enfermarias e uma sala para autoclave — aparelho usado para fazer esterilização por meio de calor úmido sob pressão.

Do lado oposto fica o Projeto Cazuza — uma sala onde guardo objetos de uso pessoal de Cazuza e tudo o que saiu sobre ele na imprensa. Ali estão os CDS, as entrevistas e os programas de televisão, os prêmios, os tênis, as roupas infantis, os desenhos, o primeiro passaporte... E quem cuida do espaço é Clarinha, minha irmã.

Mais de 6 mil pessoas visitaram o projeto desde que foi inaugurado. Vem gente de todos os lugares do Brasil e do mundo. Estudantes fazem pesquisa sobre Cazuza, que já foi, inclusive, tema de teses de mestrado e de doutorado. Na casa das crianças pude fazer uma ala para meninos, outra para meninas e uma terceira para os menores. Temos ainda um bom refeitório, uma cozinha e uma sala de visitas, local em que eles adoram receber os amigos, jogar videogame e ver televisão.

Cazuza, Lucinha e Zeca

Cazuza na grande tela

Nosso caixa na Viva Cazuza estava magro e, mais uma vez, Cazuza veio em meu socorro. A Globo Filmes manifestou desejo de transformar em filme o livro *Cazuza, só as mães são felizes*. Fiquei animadíssima com a ideia. Desde que o livro foi publicado, várias pessoas me disseram que queriam fazer um filme, mas agora era para valer. Falei imediatamente com João, que se prontificou a ver, com os advogados, as questões de venda do argumento, contratos etc.

A Globo Filmes pagou à Viva Cazuza pelo argumento. Começaram a fazer o roteiro, a escolher o elenco, e, apesar de não me envolver no processo, uma ansiedade me invadiu. Como seria ver nossa vida na tela, exposta para todos? É verdade que Cazuza nunca foi uma pessoa de esconder as coisas, sempre se expôs muito. Eu também, ao dissecar nossa relação no livro. Mas um filme me parecia diferente. Nossa dor, nossos diálogos na boca de outras pessoas. Fui invadida por uma avalanche de sentimentos. Se fiquei feliz com o fato de a vida e o trabalho de meu filho suscitarem interesse para um filme, não imaginava como seria rever nossa dor, sua doença e consequente morte.

Por mais moderninha que possa parecer, sou uma mãe como outra qualquer, que dava tudo para estar ao lado do filho, mesmo que sua vida fosse medíocre, o que, definitivamente, não era. Até hoje não sei quantos roteiros foram escritos, mas sei que até chegarem ao definitivo nossa vida passou pelas mãos de muitos escritores.

Cazuza sempre dizia que Marieta Severo se parecia comigo. Logo, a única coisa que passava pela minha cabeça era que ela fosse escolhida para me interpretar. Sempre que nos encontrávamos, ela queria notícias do filme, se não iria sair, porque se demorasse muito não poderia mais fazer o papel de mãe de Cazuza, mas de avó. Os outros atores foram escolhas do diretor e do produtor.

Fui a poucas filmagens, mas precisei me proteger com uma couraça e fingir que aquilo não me dizia respeito, porque sabia que nada poderia ser pior do que a realidade que vivemos. Foi feita uma pré-seleção dos candidatos ao papel de Cazuza e nos convidaram, João e eu, para assistir ao último teste, quando Daniel de Oliveira foi escolhido.

Ele não se parecia com Cazuza, mas acho que sua atitude foi decisiva na escolha, unânime. Fizemos uma pré-estreia em benefício da Sociedade Viva Cazuza no Cine Odeon, na Cinelândia. Recebemos 10% de toda a bilheteria, o que nos ajudou a fazer caixa e dar lastro à instituição por três anos.

João e eu assistimos ao filme, pela primeira vez, praticamente sem respirar. Daniel conseguiu personificar Cazuza. Os gestos, a maneira de andar, a postura no palco, era tudo chocante, impressionante. Serginho, que namorou Cazuza, viu o filme ao lado de João e caiu em prantos. E, ao final da sessão, vi que não foi o único.

Cazuza, o tempo não para foi o filme nacional mais visto em 2004. A mobilização que Cazuza ainda causa, o jeito como mexe com as pessoas e a atualidade de suas músicas me comovem.

Bebel Gilberto, Cazuza e Paulinho

Doação inesperada

Ao entrar na adolescência, Patrícia havia se tornado uma menina bonita. Era meiga e carinhosa, tinha boa relação com todos na casa. Como havia sofrido abuso sexual ainda pequena, julgamos adequado encaminhá-la a um psicoterapeuta. Ao poucos, percebemos com alegria as mudanças em sua vida.

Ela parecia sempre ausente quando passava por médicos, mas com a terapia começou a manifestar certo recato no momento de ser examinada. As cirurgias a que se submeteu foram bem-sucedidas, e Patrícia estava totalmente curada das doenças sexualmente transmissíveis. Achamos que havia superado ou, pelos menos, estava convivendo melhor com a violência a que havia sido vítima. Notamos que ela queria morar com a mãe, com quem tinha uma relação afetiva muito forte. A decisão nos preocupou, porque foi na casa dela que a sucessão de estupros aconteceu.

Patrícia foi abusada dos dois aos quatro anos. Temíamos que a mesma coisa voltasse a acontecer agora que ela havia se tornado uma adolescente linda. A mãe deu entrada no Juizado de Menores com um pedido de retomada da guarda. Fizemos relatórios sociais, a médica e quase toda a equipe técnica foram chamadas até lá.

Tentamos dar a Patrícia todas as condições de se defender, caso precisasse, e deixamos as nossas portas abertas para ela. Queríamos que soubesse que, em caso de necessidade, poderia retornar. Ou por desejo. Agora, ela mora com a mãe em Pedra de Guaratiba, na Zona Oeste do Rio.

Ainda não tivemos oportunidade de saber como anda a sua vida. Eventualmente, ela telefona, conta que cuida da casa e que está feliz. Torço para que seja verdade. Fico sempre em dúvida se conseguimos cumprir nosso papel, se fizemos tudo o que estava ao nosso alcance nesses anos de trabalho, se os atendimentos psicológicos foram suficientes para que Patrícia tivesse condições de fazer a escolha certa.

Quem não me conhece imagina que não sofro mais. Meu espírito é brincalhão, e algumas pessoas mais próximas dizem que meu espírito é adolescente. Que devo trabalhar e aproveitar o tempo que me resta. Afinal, não vim aqui a passeio. Disso não tenho dúvida. Então, cada segundo é precioso.

Adoro brincar com as crianças, conversar sobre namoros. Invento casos, e quando elas não gostam do namorado ou da namorada que criei — sempre amigos do colégio — é que a invenção fica ainda melhor.

Uns entram na brincadeira e aumentam as histórias, é um besteirol sem fim. A vítima fica com raiva, mas caímos na gargalhada, e imediatamente outro entra na berlinda. O inventor do caso passa a ser a vítima, e assim passamos horas a fio nos divertindo.

Num fim de tarde repleto desse *dolce far niente*, voltei para casa e fui jantar com João no Antiquarius, restaurante que frequentamos há muitos anos. Um senhor se aproximou de nós, pediu licença, e nos contou que havia perdido a filha adolescente recentemente, que estava muito abalado, e quando nos viu achou que era um sinal.

Ele, de fato, parecia perturbado. Contou que a filha havia passado o fim de semana com amigos em Campos do Jordão e voltado doente. Morreu subitamente. Disse que, para ele, a vida não tinha mais sentido, que havia reservado um dinheiro para a festa de quinze anos da filha, e que gostaria de doá-lo a uma instituição que trabalhasse com pesquisa médica. Pensou em fazer uma doação para outra instituição, mas, quando nos viu, achou que a Viva Cazuza seria boa opção. Depois dessa conversa, ele se retirou.

João me aconselhou a não esperar por nada. Muitas vezes, as pessoas pensam uma coisa e depois mudam de ideia. João sabe que penso dia e noite na manutenção e na sobrevivência da Viva Cazuza, e ele não queria que eu me decepcionasse, caso o senhor não reaparecesse.

Não tive nenhuma notícia nos dias que se seguiram. Passada uma semana, recebi um cartão com um recado, dando conta de que ele havia depositado 60 mil reais na conta da Sociedade Viva Cazuza.

A maioria das histórias que rondam meu trabalho são tristes, mesmo quando trazem alívio financeiro.

"Quem não me conhece imagina que não sofra mais. Meu espírito é brincalhão, e algumas pessoas mais próximas dizem que meu espírito é adolescente."

Agressividade sem remédio

Emerson, dez anos, era um menino grande para a idade. Todas as tentativas para que convivesse em harmonia com outras crianças fracassaram. Terapia com psicólogos, judô, tratamento com fonoaudiólogo e com psicomotricista, fisioterapia, capoeira, nada surtiu efeito. Quando ficava irritado, um dos menores sofria em suas mãos. Eram tapas, pontapés e apertões no pescoço. Não tínhamos condições de continuar o trabalho com ele. Era impossível prever quando ficaria agressivo para retirar os menores de sua linha de ataque. Nossa última tentativa foi um psicomotricista voluntário, que vinha uma vez por semana. Ele tinha muita paciência.

No princípio, tudo correu bem. Emerson se interessou pelos exercícios e pelos jogos propostos, e esperava com ansiedade a visita do profissional, que julgou interessante a participação de outras crianças no trabalho, uma vez que o objetivo era afinar a convivência do menino com os colegas.

Conversamos muito, e o psicomotricista nos considerou exagerados. Disse que as dificuldades de Emerson não eram tão grandes, afinal, era uma criança extremamente carinhosa.

Uma coisa é alcançar resultados positivos quando o contato é curto, outra é passar por grandes dificuldades no dia a dia e tentar solucioná-las em relacionamentos duradouros.

Em meio a uma sessão, Emerson se recusou a participar da maneira proposta pelo profissional e partiu para cima dele com muita agressividade. O episódio impediu que as sessões prosseguissem. A impressão era de que algum botão de rejeição ao tratamento havia sido acionado, e o menino não quis mais colaborar, tornou-se sistematicamente agressivo. Insistimos, por mais ou menos um ano, até pedirmos sua transferência para outro abrigo. Talvez um lugar com mais espaço, que oferecesse a possibilidade de ele manter contato com os animais, com a natureza. Quem sabe, ele se apaziguasse e o resultado fosse melhor.

A escola sugeriu que o transferíssemos para uma unidade própria para crianças especiais, mas tivemos medo de uma regressão. Ele foi transferido para lá, e as notícias que recebemos dão conta de que a mudança foi positiva, Emerson passou a se sentir importante no abrigo. De vez em quando, nos falamos por telefone. Ele diz que está bem, apesar de sentir saudade, e que continua o tratamento para o HIV.

Caetano Veloso e Cazuza

Caravana do delírio

Recebemos, da obra social da prefeitura, por meio de nossa madrinha Mariângeles Maia, a doação de um automóvel tipo van para passear com as crianças. Os passeios acontecem principalmente nos finais de semana, nas férias, ou quando saímos para jantar.

Nessas ocasiões, lembro que Cazuza, já doente, quis comprar um carro grande e deu a ele o nome de "Caravana do delírio". Enchia o carro de amigos — às vezes, eu ia junto —, e o motorista nos levava até a praia, o shopping, ou simplesmente ficava rodando pela cidade para que víssemos a paisagem. Tinha a impressão de que Cazuza queria reter o Rio de Janeiro em sua memória. Os amigos também. Sempre rolava um clima de sacanagem nos passeios.

Bineco, um grande amigo de meu filho que morreu em 1996, em consequência da AIDS, era seu assessor para assuntos fúteis, como dizia Cazuza. E Zeca, seu assessor para assuntos culturais e intelectuais. Assim, meio na brincadeira, meu filho ia definindo as pessoas.

Digo que as crianças são "marias gasolinas". Adoram andar de carro, não importa para onde. Quando as vejo entrando no carro, escolhendo onde sentar, não deixo de lembrar o "Caravana do delírio".

Uma noite, quando João e eu saíamos de um restaurante, passamos pela mesa de uma família — um casal e a filha de onze anos —, e meu marido comentou: "Que menina linda". E fomos para a porta esperar o carro. O casal se aproximou, perguntou se eu não era a mãe de Cazuza e contou que estavam comemorando o aniversário da filha.

Anotei o endereço deles, e no dia seguinte enviei uma camiseta da Sociedade Viva Cazuza de presente para a menina. Dias depois, a mãe me telefonou, agradeceu o presente e comunicou que nos faria uma doação. Voltou a telefonar contando que o marido ganhara um Audi numa rifa e gostaria de doar o carro. Marcamos um encontro na Viva Cazuza para que eles pudessem conhecer a instituição e conversar conosco.

Era um casal de classe média, o marido tinha um bom emprego. Ambos ficaram felizes por ganhar a rifa, mas, como o valor do carro era muito alto para o padrão de vida deles, julgaram que o dinheiro seria mais bem aproveitado se doassem a uma instituição. Costumavam ajudar outra instituição, e ficaram indecisos se deveriam doar à Viva Cazuza, embora tenham encarado como um sinal a atitude de João. Quando receberam a camiseta, a filha sugeriu que o dinheiro fosse para a nossa casa.

Quando menos esperamos, e de pessoas totalmente desconhecidas, recebemos uma grande doação. Tenho certeza de que para aquela família representou muito. Convidamos os três para as nossas festas de Natal, mas eles só vieram uma única vez. Sou eternamente grata a eles e jamais os esquecerei.

Recebemos também propostas inusitadas. Um dia, um homem bateu em nossa porta oferecendo-se para um trabalho voluntário. Guttenberg, o assistente de supervisão que o atendeu, explicou que naquele momento estávamos cadastrando voluntários na área de saúde para atendimento em seus consultórios. O homem explicou, no entanto, que o voluntário era seu cachorro — viria todos os dias e passaria uma hora com as crianças. Jamais tivemos um cachorro voluntário.

Não são poucas as pessoas que enviam carta e e-mail, ou telefonam, para pedir orientação ou remédios. Tentamos sempre ajudar ou fazemos o encaminhamento adequado. Aparecem ainda aqueles que pedem imóveis, dinheiro para comprar carro, ou para viagens de férias. Tem de tudo.

Tento imaginar o que essas pessoas acham que é o trabalho de uma instituição filantrópica. Umas querem doar, mas somente se falarem diretamente comigo. Nesses casos, há outros interesses por trás da doação. A Viva Cazuza tem vinte anos, é uma instituição respeitada, e quem quer doar, de fato, sabe que não preciso me envolver pessoalmente.

Por muitos anos recebemos a visita de dona Dirce, que fazia doações para as crianças. No início, vinha com o pai, um senhor bem idoso. Trazia cadernos, canetas, livros, balas e bombons. Depois, passou a vir sozinha, porque o pai morreu, e ela sempre dizia que ele havia trocado sua vida pela vida de uma de nossas crianças.

Dona Dirce contou que havia sido freira, mas largou a igreja para cuidar do pai. Ela morreu há cinco anos, e nos deixou de herança um apartamento na praia de Botafogo, ainda em inventário.

Antena da espécie

É a falta que nos impulsiona na vida. Estamos sempre querendo alguma coisa que não temos, por isso tentamos preencher os vazios. Também por isso sobrevivi. O buraco que Cazuza deixou era tão grande, tão profundo, que simplesmente não podia continuar vivendo. Era enorme, maior do que eu. Hoje, sobrevivo de seu vazio e tento preenchê-lo com meu trabalho.

Depois que perdi meu filho, ninguém mais é insubstituível na vida. Tento compensar a ausência com as crianças. Sugo delas a energia de viver, ao mesmo tempo em que dou a elas o que considero ser uma condição de vida.

É uma troca, e tenho plena consciência dessa relação, dessa dependência.

Não sei quem sai lucrando, mas, com certeza, o que recebo é fundamental. É engraçado como o tempo muda o foco das coisas. Hoje, os pequenos detalhes de Cazuza, as coisas simples do dia a dia, são as que fazem mais falta. Sua maneira de chegar em casa e pegar uma garrafa de uísque, seu jeito de andar e de brincar com as empregadas, sua facilidade de fazer amigos e arrumar confusão.

Cazuza tinha pressa de viver, tinha um espírito irrequieto, gostava de experimentar tudo. Fez teatro e fotografia, começou a faculdade de comunicação, morou em São Francisco, trabalhou como divulgador de discos, mas só se encontrou na música.

Até os treze anos, era um menino tranquilo, que não dava problema. Depois aprendeu a se rebelar, a ter ideias próprias, a contestar e a experimentar tudo. Por mais que saibamos que os filhos são independentes, sempre imaginamos o futuro deles de acordo com nossas experiências.

Quando pequeno, Cazuza dizia que ia ser arquiteto, ou que faria faculdade de geografia, mas acabou escrevendo uma bela história. Certa vez, recebi o e-mail de uma psicóloga que, depois de assistir ao filme *Cazuza, o tempo não para*, ficou impressionada com o culto à personalidade do meu filho, que considerava nociva à sociedade.

Penso sobre o conceito que essa psicóloga faz dos artistas. E me pergunto se ela acha que quem vive uma vida normalzinha, como a minha e provavelmente a dela, vai deixar alguma marca no mundo. Será que ela nunca ouviu dizer que o artista é a antena da espécie? Será que nada sabe da história de Hemingway, Van Gogh, Kafka, Dalí, Mozart ou Pollock? Teria ouvido falar das experiências de Freud com a cocaína?

A vida de Cazuza dá mais que um livro e um filme. As pessoas que assistiram ao filme e leram o livro não passaram a seguir seus passos. Depois de certa idade, nós mesmos somos responsáveis pelos caminhos que traçamos. Acho muito engraçado aquele tipo de mãe que põe a culpa de tudo no que chama de más companhias, como se os filhos não tivessem a liberdade de escolher. Sempre é mais fácil pôr a culpa no outro. Difícil é compreender as diferenças e se dispor a conviver com elas.

"Cazuza tinha pressa de viver, tinha um espírito irrequieto, gostava de experimentar tudo. Fez teatro e fotografia, começou a faculdade de comunicação, morou em São Francisco, trabalhou como divulgador de discos, mas só se encontrou na música."

Cazuza e Caetano Veloso

Cientista dos sentimentos

Sempre penso como e quem seria Cazuza hoje. Na minha fantasia, alimento a ideia de que continuaria com seu espírito ácido e questionador. Imagino que, mais maduro, faria músicas ainda melhores.

Além da poesia, acredito que Cazuza deixou como legado a coragem de assumir publicamente posições polêmicas. Nunca foi hipócrita e sempre teve a lucidez de dizer que o ser humano não presta. Às vezes, eu dizia pra ele: "Meu filho, você não vê que essa pessoa está se aproximando de você apenas por interesse?". E ele respondia: "Mamãe, ele não presta, você não presta, o ser humano não presta". A história é feita de pessoas que se aproveitam dos mais fracos para dominá-los, o que tem de bonito nisso? O homem é o único animal que mata por prazer.

Um tempo depois da morte de Cazuza passei a receber, com alguma frequência, dois tipos de recados. Um informava que ele tinha um filho, e foram tantos os filhos que apareceram que eu passaria a ter uma família enorme. Uma moça chegou a dizer que havia tido um filho de Cazuza quase dois anos depois de ele ter morrido. Quis muito que fosse verdade. Não era.

Os outros recados vinham de pessoas que se diziam médiuns e que o espírito de Cazuza havia aparecido para elas. Nenhum foi convincente.

Hoje, sonho pouco com Cazuza, mas penso tanto nele o dia inteiro que à noite tenho que descansar. João costuma sonhar com ele, e sinto certa inveja. Lembro-me das noites em que ouvia o barulho da máquina de escrever no quarto de Cazuza. À época, ainda não tinha ideia de seu talento. Mães têm a pretensão de saber tudo sobre os filhos, e agora, com amigos e parceiros, cato migalhas de tudo o que ele foi. O mais engraçado é que essas migalhas chegam de pessoas e de lugares menos esperados.

Um dia, visitei a penitenciária Bangu 3, porque os presos fizeram um dia de jejum para doar alimentos à Viva Cazuza. De onde menos se espera vem a ajuda. Marcaram a data para eu receber a doação. Quando cheguei, depois de encontrar o diretor, levaram-me a uma grande sala, onde a cerimônia aconteceria.

Vários presos vieram falar comigo, alguns pediram que eu autografasse meu livro anterior, *Cazuza, só as mães são felizes*. Um deles se aproximou e contou que havia sido garçom num restaurante do Leblon, o Tarot, frequentado por Cazuza, e que meu filho era mão aberta, pagava bebida aos amigos. Também disse que algumas vezes pôs Cazuza no táxi, porque ele havia bebido demais. Nada daquilo era novidade, mas o carinho do preso ao falar de Cazuza me emocionou.

Em outra ocasião fui a Belém lançar o livro, e o guia que me serviu contou que havia conhecido Cazuza numa turnê e que repetiria comigo o mesmo roteiro turístico que havia percorrido com ele. Fomos a uma igreja que tinha num canto a imagem de Joana d'Arc, ajoelhei-me para rezar. Quando saí, o guia contou que Cazuza também havia chegado perto de Joana d'Arc, olhado para ela e dito: "Companheira, eu também estou na fogueira".

Às vezes, acho que as pessoas vêm falar de Cazuza só porque ele era famoso, mas penso que ele deve ter passado alguma coisa especial para elas, porque todos me falam dele, mesmo depois de tantos anos, com muita alegria.

Um dia, conversando com Caetano Veloso, ele me disse que pensava na cabeça de Cazuza, que aquela cabeça havia parado de pensar. Como mãe, tenho o pensamento egoísta e preferia ter meu filho por perto, preferia que ele não tivesse sido famoso, desde que estivesse comigo. Também sei que ele tinha muito a dizer, que sua vida era como um tubo de ensaio, e ele, um cientista dos sentimentos e, ao mesmo tempo, sua própria cobaia.

Acho que Cazuza morreu pela experiência do prazer. Não digo isso de forma piegas. É lógico que todos sabem que uma das formas de contaminação do HIV é por meio do sexo, e certamente ele fez sexo desprotegido. Estou falando do desejo de viver intensamente, da lucidez de preferir viver dez anos a mil a viver cem anos a dez. Ele era uma pessoa consciente e sabia que sua produção dependia dessa vivência. Era fundamental.

Qual jovem com menos de trinta anos tem a percepção da vida como *um museu de grandes novidades*?

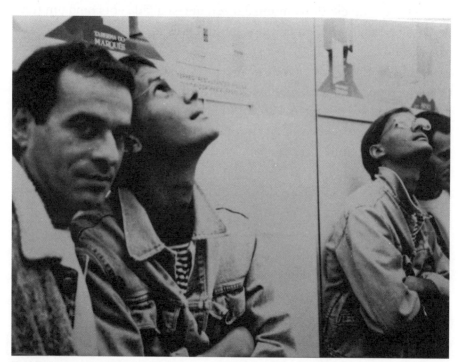
Ney Matogrosso e Cazuza

Conversa em família

Minha sogra morreu com quase cem anos. Pensar que a vida é injusta por ter levado meu filho tão cedo e deixado que minha sogra sofresse pela morte do neto foi inevitável. Dona Maria era uma mulher de hábitos rígidos, uma pernambucana educada em regime de austeridade, que acabou criando os filhos do mesmo jeito. Esses critérios também foram aplicados em seu colégio, dirigido com mão firme, primeiro no Rio, e mais tarde em Vassouras.

Apesar da rigidez de dona Maria, Cazuza era o neto querido. Ela sempre fez as vontades dele, sempre o desculpava. O amor realmente tem razões e percorre caminhos que não podemos explicar. Essa predileção, mesmo ostensiva, jamais despertou ciúme nos primos. E eram mais de vinte.

Dona Maria gostava de manter segredos com o neto e guardou por vinte e três anos um poema que ele escreveu. Vasculhei seus cadernos, papéis, busquei todas as anotações, cada frase. Queria guardar tudo o que fosse dele e achava que nada poderia me aproximar mais de Cazuza do que seus pensamentos transformados em letras de música e poesia. Liguei para amigos, parceiros e para dona Maria pedindo o poema, mas ela disse que aquele não podia me dar. Era dela. Cazuza fez para ela em 1975, com dezessete anos.

Fiquei muito magoada, não consegui entender sua atitude, que julguei egoísta. Como podia me negar um poema, logo eu que havia acabado de perder meu único filho? Chorei e alimentei essa mágoa por muito tempo. Esse sentimento se dissipou somente quando ela morreu. Pedi às minhas cunhadas as fotos e os discos autografados de Cazuza que minha sogra guardava. Ao abrir a caixa com o material enviado encontrei a herança, ou seja, o poema que meu filho havia dedicado à avó.

Como sempre fui mãe coruja, que vai a todos os shows na fila do gargarejo, orgulhosíssima do filho, guardei todos os recortes de jornal, os desenhos da infância, as roupas. Acho que eu sabia, inconscientemente, que deveria preservar tudo, porque mais tarde teria necessidade de juntar os pedaços.

Divulgar o trabalho de Cazuza, mostrá-lo ao mundo em todas as suas nuances, virou uma de minhas principais ocupações e preocupações. Assim que recebi o poema, senti vontade de vê-lo musicado e gravado. Logo pensei em Frejat, parceiro mais constante e amigo querido. A pessoa ideal. Quando me avisou que a música estava pronta, Frejat sugeriu que Ney gravasse. A canção foi batizada de "Poema". É engraçado que muitos fãs pensem se tratar de uma música de amor que Cazuza teria feito para alguém que namorou. É linda e muito aplaudida nos shows de Ney, pessoa de grande importância na vida de Cazuza, que sempre esteve ao seu lado, como ele mesmo conta:

> Nossa relação, que começou com um beijo quando Cazuza não era cantor nem famoso, fez com que nos tornássemos muito próximos. Cazuza sabia que eu era um porto seguro, que estaria ali sempre que precisasse e, como era muito debochado, me chamava de paizinho.

Dizia que eu tinha idade para ser seu pai, que era tão louco quanto ele, mas sabia que podia contar comigo.

Num de seus últimos aniversários, ele me deu um disco e fez uma dedicatória, escrita já com a letra meio tortinha: "Paizinho, eu te adoro".

Acho que Cazuza, hoje, com 52 anos, seria exatamente igual na essência. Irreverente, debochado, com alto senso crítico, até porque ninguém pode ficar indiferente à situação em que vivemos, não dá para ficar manso. Mas era muito criterioso com o trabalho. Achei no meu sítio uma agenda dele cheia de frases, fragmentos, ideias, e muitas coisas que estavam ali vivas em suas letras de música.

Ele trabalhava muito em cima de suas ideias. Não era apenas intuitivo. Lembro-me de que um dia Cazuza sugeriu que ficássemos juntos uma noite inteira. Passamos por vários bares e fomos para a casa dele. Antes de dormirmos, ele avisou que sairia de barco no dia seguinte e me convidou. Expliquei que não poderia e pedi que não trancasse a porta para eu sair quando acordasse. Mas me deparei com as portas da frente e dos fundos trancadas. Liguei para o porteiro, e ele disse que não guardava nenhuma chave da casa. Rodei pelo apartamento sem saber o que fazer e vi que uma das janelas, razoavelmente alta, dava para um jardim com grama — ele morava no segundo andar. Pulei a janela e fui embora.

Quando Cazuza chegou em casa e não me encontrou ficou louco, telefonou perguntando como eu havia saído. Ele me trancou de molecagem, queria me encontrar quando chegasse. Ele era assim, ciumento e também doce, encantador — sua melhor parte. Mas esse lado ele não gostava de mostrar, achava que expunha a sua fragilidade. Sentia nele uma necessidade de afirmação pessoal, talvez o fato de ser filho de uma pessoa poderosa, da indústria fonográfica, contribuísse para isso.

Uma vez, assim que começaram a falar sobre AIDS — logo no início da epidemia —, eu comentei que não dava mais para transar sem camisinha. O que nós já havíamos feito estava feito, mas que a partir daquele momento tínhamos que nos prevenir. Ele me confessou que estava transando muito e sem camisinha, que "não estava nem aí". Naquela época, não estava contaminado. Pouco depois me contou uma coisa que nunca esqueci. Disse que um dia estava em frente ao espelho, olhou-se bem e falou: "Eu vou morrer dessa doença". Nunca entendi por quê.

Quando a gente tem um pensamento desses abre a possibilidade de ele se concretizar. A nossa mente tem grande poder. Cazuza tinha esse lado meio autodestrutivo, que me assustava. Ele considerava que o álcool e a cocaína faziam parte da vida, não questionava isso. Uma vez fomos passar um final de semana no meu sítio com alguns amigos. Passamos a noite bebendo, nem sei o que a gente tomou. Lá pelas tantas, fui dormir. Quando acordei no dia seguinte, não encontrei ninguém em casa. Fui até a cozinha e dona Maria, a cozinheira, me disse: "Seu Ney, o Cazuza está dormindo debaixo da mesa".

Fiquei ali pela cozinha e, pouco depois, entra ele, dando bom-dia como se estivesse saindo da cama. Não sabia que dona Maria o havia flagrado dormindo debaixo da mesa. Foi muito engraçado o jeito de menino tentando esconder que havia feito alguma bobagem.

Os pais de Cazuza tinham uma casa em Petrópolis, na Fazenda Inglesa. Fomos com Yara Neiva. Todos levaram máquinas de retratos. Lá pelas tantas, bebendo vinho defronte à lareira, ficamos loucos e começamos a fotografar. Percebemos que os empregados estavam olhando, meio que tomando conta. Acho que Lucinha e João estavam na Europa. Antes de irmos embora, falei para tirarmos mais uma foto, os três juntos. Quando olhei, minha máquina estava sem filme, a de Cazuza também. A mesma coisa aconteceu com a máquina de Yara. Foi muito estranho. Cazuza ficou louco, disse que aquilo só podia ser coisa do pai.

Em outra ocasião, eu dirigia o show de Cazuza, e ele já estava bem doente. Decidi, então, levá-lo ao Daime. Chegamos cedo, ele começou a beber o chá. Mas não acontecia nada. Acho que ele tinha uma resistência grande por causa dos remédios que tomava. Fiquei perto para ajudar. Ele tomava o Daime e eu tomava também. Determinada hora, ele me cutucou, eu levantei para um lado, ele para outro. A pessoa que coordenava mandou que eu ficasse sentado, porque já não tinha mais condições de ajudar ninguém. Eu estava de olhos fechados e Cazuza me cutucou. Quando o encarei, vi que o olhar dele estava diferente, com um brilho especial. Ele me disse: "Mas é só isso?", e eu disse, "É Cazuza, é só isso, é só aceitar".

Quando saímos, ele me disse que tinha muitos insights sobre a sua relação com a família e que precisava conversar com a mãe e o pai. Nunca soube se ele conversou ou não, é uma curiosidade que ainda tenho.

Não vou deixar o Ney com essa curiosidade. A enfermeira de Cazuza nos ligou pedindo que fôssemos à casa dele. Levamos um susto, porque eram quase quatro da manhã. Ela contou que Cazuza queria muito conversar conosco. Quando chegamos, ele disse que havia entendido que éramos as pessoas que mais o amavam. E ele nos amava muito também. Conversamos até de manhã, falamos da importância de nossas relações, de como era forte o nosso amor.

Ney é uma pessoa muito querida por mim e por João, além de conselheiro e colaborador da Sociedade Viva Cazuza.

Dor atávica

Às vezes, tenho medo de me repetir quando escrevo. Medo de contar outra vez nossa história. Mas, como posso não falar de Cazuza se minha dor continua, se ele é a razão do trabalho da Sociedade Viva Cazuza, se quase tudo o que faço é por ele e para aplacar esse vazio que me corrói?

Continuo vivendo minha vida, tenho meu marido, que é muito importante, mas como dói! Algumas pessoas acreditam que, com o passar do tempo, a dor da perda diminui. Posso garantir que não, a dor apenas se transforma. Pode não ser tão dilacerante como o choque dos primeiros momentos, das primeiras horas, dos primeiros dias. Mas talvez ela seja mais cruel, porque agora sei que nunca mais aplacará. Sei o que ela fez em meu corpo e em minha mente. É uma dor atávica.

Vivo com minhas obviedades e, enquanto escrevo, constato mais uma: a vida continua apesar de tudo, não para! Penso em tudo que Cazuza perdeu nesses vinte anos, em tudo que deixou de ver e viver. Do mais simples, como o celular, à continuidade vergonhosa da politicagem e da roubalheira, à sucessão de escândalos em nosso país.

Também penso nas pessoas que não conheceu, como Cássia Eller e Amy Winehouse. Cedo à tentação de imaginá-lo ouvindo a notícia do atentado às torres gêmeas, em Nova York, e fico pensando em sua argumentação sobre as razões e as consequências desse ato terrorista.

Imagino Cazuza perdendo o celular, deixando em qualquer canto, pedindo o meu emprestado e sumindo com ele também. Quantos já não teriam passado por suas mãos? Será que se deixaria seduzir pelo mundo na ponta dos dedos proporcionado pela internet? Tenho a impressão de que não teria muita paciência. Ele gostava do contato direto com as pessoas, do cara a cara. Cheguei a imaginar que carro gostaria de ter. Coisas tão banais...

Às vezes, acho que tenho uma vida paralela. A real, do dia a dia, com João e a Viva Cazuza. Outra, interna, íntima, com meus pensamentos em que Cazuza é o personagem central. Em shows, encontro seus amigos, e penso por que não foi permitido a Cazuza prosseguir mais um pouco? Tenho certeza de que ainda tinha tanto a dizer... Quantas músicas poderia ter composto, quantos sorrisos, abraços, beijos e palavrões foram apagados? Meu pensamento volta a João, meu marido há mais de cinquenta anos, e vejo como estamos unidos pelo mesmo laço, pela mesma marca doce de nosso filho e, ao mesmo tempo, pela cicatriz que ele deixou, que não se desfaz. Somos geradores e vítimas de nossa história.

"Algumas pessoas acreditam que, com o passar do tempo, a dor da perda diminui. Posso garantir que não, a dor apenas se transforma."

Palavras definitivas

Em 2002, fiz uma mamografia de rotina e veio a surpresa: estava com câncer de mama. Pensei: meu Deus, já não sofri o bastante? Ainda tenho que passar por isso? Não podia acreditar, mas era verdade.

Desabei com a notícia. Não podia ficar doente, ainda tinha muita coisa a fazer, a Viva Cazuza precisava de mim. A dra. Loreta foi comigo ao ginecologista, que indicou uma cirurgia para retirada do nódulo. Ainda me explicou muitas coisas que não tive condições de entender direito. Ao sairmos da consulta, a dra. Loreta disse que iríamos a um especialista, o dr. Alfredo Nogueira.

Os amigos me ligavam e cada um tinha uma opinião. Alguns achavam que eu deveria ir aos Estados Unidos, outros contavam que não sei quem havia feito a cirurgia com outro médico e que estava tudo bem. O telefone não parava de tocar, e eu já estava tonta com tantas opiniões diferentes.

Até que o João falou: "Lutía, você não confia na Loreta? Se ela disser que o cara é bom, vamos fazer com ele. Ele é do Hospital do Câncer, tem muita experiência, e esse negócio de ficar ouvindo opinião de todo mundo não dá certo".

Ouvi o João. Depois da cirurgia, viriam trinta e três sessões de radioterapia. Não faltou gente com casos para contar, mas o João e a dra. Loreta diziam que, apesar de tudo, tive sorte de detectar o câncer no início, que estávamos fazendo tudo da melhor maneira possível, que a medicina no Brasil era excelente e que uma cirurgia nos Estados Unidos em nada me beneficiaria. Aliás, seria pior. Estaria fora do meu país, falando uma língua diferente, sozinha, e eu sabia muito bem o que era ficar doente no exterior.

Tudo terminado, restavam cinco anos de remédios e de observação, uma longa espera para ver se não haveria recidiva. Os cinco anos já se passaram e superei mais essa. Às vezes, tenho a impressão de que sou uma figurinha carimbada de Deus.

Passei por mais essa provação, com muito medo, mas me lembrava sempre de como Cazuza havia sido corajoso ao enfrentar a AIDS. Ele me deu forças. Sofria acordada por causa de um pesadelo, no qual era refém do relógio. Os ponteiros me perseguiam insistentemente, sem sair do lugar, enquanto esperava, ansiosa, a melhora de Cazuza. Sempre no final da tarde até a madrugada. Tenho a impressão de ter vivido o último ano de vida de Cazuza entre sete da noite e quatro da manhã. Por mais que recebêssemos a visita de amigos, jantássemos e conversássemos, os relógios continuavam parados, até que uma noite ele disparou sorrateira e traiçoeiramente. Dei uma cochilada, e quando acordei Cazuza estava morto.

Eu, que havia passado noites insone, fui traída. Perdi o momento e, de súbito, percebi quanto perdi na vida com preocupações desnecessárias. Sentia-me como um quadro torto na parede, tinha a impressão de que todos estavam me vendo, me olhando. Como pude deixar isso acontecer? Como pôde Cazuza morrer sem que eu estivesse ao seu lado?

Quando fui acordada com a notícia, nada me restou. Corri até o banheiro e vomitei três anos de pavor, de medo de nunca mais ver meu filho, de nunca mais poder abraçá-lo, de não ouvir mais ele chamar *pases* — modo brincalhão como se referia a mim e a João. Restaram sua voz, suas fotos, seus vídeos e suas lembranças infinitas.

Por tantas vezes tentei reter seu rosto na retina — a cicatriz no lábio, as sobrancelhas —, até ele me pedir que parasse de olhá-lo "desse jeito". Esse relógio cruel, às vezes, retorna à minha cabeceira. Foi assim durante os cinco anos que esperei para superar o câncer.

Barão Vermelho

Altos e baixos

Cazuza tem uma legião de fãs que escrevem para o site oficial, compram todos os CDS, assistem ao filme e visitam o Projeto Cazuza. Alguns fãs são como cães de guarda e nos ajudam a proteger o patrimônio de meu filho: informam quando são vendidos CDS, DVDS ou camisetas piratas na internet. Muitas mensagens são ótimas, seja a que reclama da gravadora por causa da demora no lançamento de um DVD, seja a que pede novas compilações de CDS.

Um dia, recebemos o telefonema de um fã indignado, morador de São Paulo. Ele viu o anúncio de um laboratório farmacêutico que usava a imagem e o nome de Cazuza, e incluía meu filho no rol do que chamou de ídolos de ontem. O remédio anunciado era o ídolo de hoje. O fã não acreditou que aquilo pudesse acontecer, e quis saber como nós tivemos coragem de autorizar tal barbaridade. Ele sabia que sobreviviamos dos direitos autorais de Cazuza e que precisávamos de dinheiro. Mas considerou aquilo falta de respeito com o ídolo.

Foi um grande susto. Não sabíamos nem nunca autorizamos nenhuma propaganda daquele tipo. Pedimos a ele que nos enviasse uma cópia do anúncio, pagaríamos as despesas se fosse o caso, e, no dia seguinte, ele prometeu nos enviar o material. Abrimos o pacote e era tudo verdade. Pior do que imaginávamos.

A empresa teve a cara de pau de usar uma foto de Cazuza, selecionar alguns versos de suas músicas e, em montagem de péssimo gosto, afirmar que o ídolo havia morrido, mas que o público contava com um novo, o tal remédio, que nada tinha a ver com o HIV. Acionamos nosso advogado, que, além de pedir a interdição de todo o material, ainda cobrou danos morais. A multinacional preferiu negociar e nos pagar indenização, para evitar que recorrêssemos à Justiça.

A propósito da exploração indevida da imagem de Cazuza, esse caso foi o de maior vulto. Muita gente já fez e vendeu camisetas jurando que a renda seria revertida para a Sociedade, mas nós nem sabíamos de quem se tratava. Essa é uma batalha diária. Muitos querem tirar proveito, e ficamos sabendo desse tipo de atitude muito tempo depois.

Minha vida flui entre altos e baixos. Casei apaixonada com meu primeiro namorado. Meu marido foi bem-sucedido no trabalho e nos proporcionou uma vida financeira tranquila. Meu filho único ainda faz muito sucesso e se transformou em expoente da música popular brasileira. Contando assim parece uma vida perfeita.

Hoje, o reconhecimento do meu trabalho se deve única e exclusivamente à perda do que era mais importante em minha vida, Cazuza. Tento manter viva sua memória, e penso que, quando não estiver mais aqui, ninguém fará isso por mim. Tenho consciência da qualidade de seu trabalho e de que sua obra vai perdurar mesmo que nenhuma pessoa a impulsione.

Sinto pena de Cazuza não ter tido filhos, de não ter dado continuidade à nossa família. Os filhos, além de representarem um alento quando a gente fica mais velha, sempre nos transportam ao futuro, seja ele qual for. Se Cazuza fosse pai, seus filhos poderiam alimentar a sua memória.

Cazuza foi padrinho de Tiquito, o filho de Sandra de Sá, sua grande amiga, e dos filhos de vários outros amigos. Um dia, o filho de João Rebouças, o Israelzinho, um dos afilhados de Cazuza, ligou para dizer que queria conhecer a Viva Cazuza.

Recebi um menino tímido e encantador, que buscava em mim e na Viva Cazuza um pouco de sua história. Quis saber sobre Cazuza e contou que, quando pequeno, perguntou ao pai se o padrinho era aquele Cazuza famoso. Desde a sua visita, Israelzinho, hoje com 21 anos, participa de nossas festas de Natal. Fico feliz por vê-lo entre nós.

SUSTO EM PARIS

João resolveu se aposentar e deixou a presidência da Som Livre, empresa criada por ele. Insatisfeito com o ócio, montou um escritório de consultoria. Aproveitamos para tirar férias e fomos a Paris. João, eu e minha amiga Maryse. Nossa ideia era alugar um carro, percorrer as pequenas cidades da Provence e retornar a Paris, onde ficaríamos mais uns dias, para depois voltar ao Brasil. Passaríamos uns quinze dias viajando, algo que não fazíamos havia tempos.

Era inverno, estação que não é das minhas preferidas, mas sou do tipo que quer viajar de qualquer jeito, não importa para onde e quando.

Chegamos a Paris. Foi um grande farra. Adoro bater perna, ver museus, andar. Maryse e eu saíamos cedo, e na hora do almoço nos encontrávamos com João. Depois, ficávamos juntos o restante do dia. No quarto dia de viagem, ainda em Paris, eu escrevia um diário de viagem, quando algo me chamou atenção: João estava deitado, todo coberto. Achei estra-

"Depois do exame, ele nos comunicou que João seria levado imediatamente a um hospital, porque tinha um edema agudo no pulmão. Fiquei apavorada."

nho, porque não estava frio, e a calefação era perfeita. Ele batia o queixo e me pediu outro cobertor. Estava com dificuldade para respirar, os lábios e as mãos estavam ficando roxos.

Chamei Maryse. Pedimos ao hotel que providenciasse um médico com urgência. Depois do exame, ele nos comunicou que João seria levado imediatamente a um hospital, porque tinha um edema agudo no pulmão. Fiquei apavorada.

Feitos os primeiros procedimentos, liguei para o Brasil e pedi ao médico que explicasse o que se passava para a dra. Loreta. Ela me disse que precisaria falar com o médico do hospital para fazer uma avaliação mais precisa. Pedi a ela que nos encontrasse em Paris, mas a dra. Loreta julgou mais adequado a presença do cardiologista.

João foi atendido e internado no CTI. Ficou apavorado, porque nunca havia estado sozinho num hospital e ainda havia a barreira do idioma. Apesar de eu ter armado uma briga, não permitiram que ficasse com ele. Contratei, então, uma enfermeira. Consegui rapidamente uma passagem para o dr. Claudio, para que ele embarcasse naquele mesmo dia para Paris.

Quando ele encontrou João, quis embarcá-lo de volta ao Rio para a colocação de um stent. O hospital particular não permitiu, apesar de o médico brasileiro se responsabilizar pelo paciente. Os franceses acharam a viagem arriscada.

Desesperado, João solicitou que se providenciasse um avião de resgate de saúde, mas nem assim foi liberado. Ficamos dez dias com João no CTI.

Claudio, Maryse e eu nos revezamos entre hotel e hospital. João só foi liberado depois de colocar o stent.

Quando voltamos ao Brasil, meu marido já estava ótimo. Parecia que nada havia acontecido. Restaram o susto, uma conta enorme para pagar, e João, agora, com um stent francês no coração.

Mas podia ter sido pior...

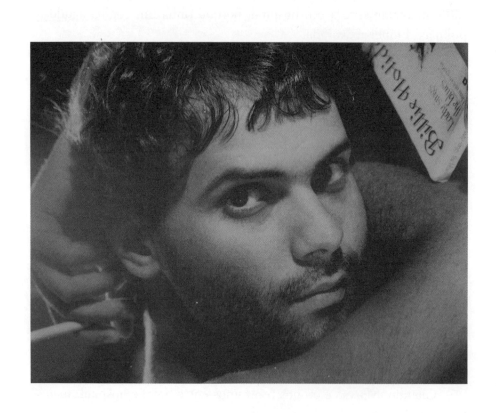

Nossos quinze anos

Tenho o hábito de mandar rezar duas missas anuais para Cazuza na igreja da Ressurreição, no Arpoador. Uma na data de seu nascimento, outra na de sua morte. Como a Viva Cazuza começou no mesmo ano em que ele morreu, sempre foi difícil comemorar as datas da instituição.

Em 2005, decidi não deixar passá-la em branco. Afinal, quinze anos de trabalho na área social são quinze anos. Não é brincadeira. Fizemos muito esforço para chegar até aqui. Matamos um leão por dia. É a urgência do paciente, são as burocracias de todos os dias, as dificuldades próprias dos relacionamentos, a permanente falta de verbas.

Costumava promover eventos beneficentes, mas, com o passar dos anos, passei a ser temida pelos conhecidos. Era a chata da Lucinha que já vinha vender um ingresso. Não é fácil!

Achei que merecíamos uma comemoração em 2005. Pensamos em várias alternativas, até que cheguei à conclusão de que uma festa com um show seria mais apropriada, afinal, a Viva Cazuza está umbilicalmente ligada à música, apesar de a instituição se voltar para a área de saúde.

Ney Matogrosso, um de nossos conselheiros, era o nome perfeito. Ele se prontificou a cantar de graça. Precisávamos de um local e conseguimos que o Jockey Clube, por meio do então presidente, Luiz Alfredo Taunay, nos cedesse o salão para a grande festa. Antonio Neves da Rocha ofereceu a decoração. A bebida ficou por conta de Lilibeth Monteiro de Carvalho, e a nós só coube a comida. Decidimos vender convites para bancar o custo da festa e angariar verbas para a nossa causa.

Fizemos um vídeo institucional representativo dos quinze anos. A festa foi linda. Pela primeira vez pude curtir a data, mas o mais importante foi a participação de funcionários, voluntários e, é claro, das crianças. É para elas que trabalho. Hoje, nossos projetos estão azeitados, conseguimos formar uma equipe com qualidade profissional e, mais importante, comprometida com o trabalho. De certa maneira, vejo em todos os funcionários um lado voluntário, pois sei que para eles é mais do que um trabalho. Isso me dá tranquilidade. Meu papel junto às crianças é mais afetivo. É o que mais gosto de fazer. Infelizmente, não tenho o mesmo entusiasmo em relação à independência financeira da instituição.

Dalila e Judith ficaram conosco até Dalila fazer quinze anos. Houve uma festa linda, cheia de amigos, mas elas acalentavam a ideia de morar com o pai, que pouco as visitava, mas as cobria de ilusões. O sonho era uma vida com ele, sempre adiado. Nos planos das meninas cabiam até os móveis que usariam na decoração do quarto na casa nova.

O pai sempre dizia que estava construindo uma casa, que agora tinha uma nova namorada, por quem as meninas já haviam se encantado mesmo antes de conhecê-la. No fim do ano letivo, Dalila havia completado o primeiro grau, e elas deixaram a instituição para morar com o pai.

Preparamos as duas ao longo do ano, elas estavam muito felizes. Foram inscritas em nosso projeto de adesão ao tratamento. Não queríamos perder o contato. Dois meses depois, Dalila nos contou que estava namorando e que iria morar com o namorado. Ficamos preocupados, mas não pudemos fazer muito, a não ser orientá-la no sentido de esperar mais

"A festa foi linda. Pela primeira vez pude curtir a data, mas o mais importante foi a participação de funcionários, voluntários e, é claro, das crianças. É para elas que trabalho."

um pouco, de não esquecer de usar o preservativo — essas coisas de mãe que pouco adiantam. E Judith descobriu os bailes funk.

Conseguimos que as duas continuassem o tratamento e, apesar de o namorado não aprovar, Dalila frequentava a nossa casa. Eles moraram juntos durante um ano, enquanto durou a paixão. Ela percebeu a tempo que o rapaz não correspondia às expectativas. Não trabalhava, não estudava, queria mantê-la trancada em casa. Não gostava que ela estudasse.

Judith se acalmou e, depois de um ano, trocou o funk pela igreja evangélica. Não veio mais à nossa casa, temos notícias dela por intermédio da irmã. Apesar de bem mais magra, Dalila está razoavelmente bem de saúde. Como sempre foi uma menina esforçada, torcemos para que consiga fazer o curso que deseja, de cabeleireira, e tenha uma profissão, agora que mora com o pai. Tentamos convencê-la a trazer Judith de volta ao tratamento, e minha intuição diz que vamos conseguir.

No mesmo período em que elas deixaram a casa, duas crianças foram adotadas. A primeira depois de um processo traumático. O primeiro casal interessado desistiu da menina no meio do período de adaptação, quando ela ficou doente. Bateram em nossa porta às onze da noite, a menina ardendo em febre, quarenta graus. Nunca mais apareceram, mas ligaram pedindo desculpas por terem reclamado da instituição durante o processo de adoção. A criança tinha três anos, e sugerimos que eles refletissem mais, que tivessem tempo para amadurecer uma decisão tão importante.

Passados dois anos desse episódio, outro casal se habilitou, e o resultado foi uma adoção bem-sucedida. Temos notícias regulares da família, e a criança fala conosco por telefone. Até já nos encontramos com ela. Está bem e feliz, dá para perceber. Recentemente, a mãe nos telefonou contente da vida porque a carga viral da filha não foi detectada.

Nem todos os processos são assim. A outra criança adotada é um menino de três anos. A pessoa interessada é um rapaz que adotou o irmão mais velho do nosso menino, abrigado em outra instituição e negativo para o HIV.

A condição para adotar a criança era manter os irmãos juntos, já que foram separados quando o mais novo nasceu HIV positivo. O rapaz veio conhecer o menino, passeou com ele e o irmão e, na semana seguinte, levou-o definitivamente. A criança passou a fazer acompanhamento do HIV e, numa das vezes, encontrou-se com Pedro, nosso supervisor, e outras crianças. Estava bonitinho, arrumadinho, mas quando viu Pedro e os antigos companheiros agarrou-se neles. Ficou tão excitado que chegou a vomitar. Queria vir embora com Pedro.

Essa adoção pode ser ótima para o menino. Mas deveria ter sido feita de maneira mais equilibrada, com tempo suficiente para preparar melhor a criança. O problema é que, em casos como esse, não podemos opinar. A nós cabe cumprir a ordem judicial.

Frejat, Cazuza e Gutto Goffi

Excesso de amor

Ainda vivia sob a tensão dos cinco anos pós-retirada do nódulo no seio quando percebi que estava me cansando mais do que o habitual. Não dei importância e fui a Nassau para o casamento de Arnon, filho de Lilibeth. De lá segui para Nova York. Resolvi não pensar no assunto e aproveitar a viagem. Em Nova York, com o decorador Edgar Moura Brasil passava o dia inteiro na rua. É o que mais gosto de fazer.

Como o hotel tinha uma pequena escada no lobby, sempre chegava ao quarto um tanto ofegante. Botei a culpa na idade. Se isso não bastasse, todos os meus companheiros de viagem eram bem mais novos. Imaginei que essas aventuras faziam parte de uma fase da minha vida que estava chegando ao fim. Não tinha mais energia para passar o dia inteiro batendo perna na rua.

Quando retornei ao Rio, comentei com a dra. Loreta sobre a ótima viagem, mas que havia sido a última daquele gênero, pois não tinha mais idade nem pique para acompanhar um grupo mais jovem. Como me conhece muito bem, ela desconfiou de alguma coisa errada. Não era normal eu me sentir tão cansada.

Da conversa passamos a uma consulta médica. Ao me auscultar, ela recomendou um eletro e rapidamente o dr. Claudio Benchimol foi à minha casa e pediu um exame mais detalhado. Saí do exame e fui colocar cinco *stents* no coração. O cansaço era sintoma de obstrução em minhas artérias.

Resultado imediato. Fiquei boa, mas abalada. Julgava já ter passado por todas as provações, não precisava de mais uma. Sou exagerada até no número de *stents*. Todo mundo que conheço coloca um ou dois. Eu tinha que colocar logo cinco de uma vez?

Passados dois anos, voltei a me sentir cansada. Agora, meu colar tem oito *stents*. Quem sabe ainda entro no livro dos recordes? Há um ano, coloquei mais um. Imagino que, com nove, já esteja em primeiro lugar no livro.

Não me canso de repetir: ser mãe não é fácil. Filho deveria vir com bula. Não importa o que se faça, sempre vamos errar. Sempre haverá reclamações, recriminações. Como errar é inevitável, decidi pecar por excesso. Excesso de amor.

Em abril de 2010, Cazuza teria completado 52 anos. Claro que pensei em como seria bom que organizassem alguns eventos em sua homenagem. Imaginei diversos shows, mas não consegui realizá-los. Por mais dedicada que eu fosse à preservação da memória de meu filho, acho que não caberia a mim a iniciativa da homenagem. Assim, deixei o barco correr até ser procurada por um organizador de eventos, que disse ter verba da Telefônica para produzir o show do Primeiro de Maio na praia de Copacabana, e que pensou em homenagear Cazuza.

A possibilidade me empolgou. A produção escalou os artistas, entre eles Ney Matogrosso, Caetano Veloso, Sandra de Sá, George Israel, Zélia Duncan e Preta Gil, para cantar as músicas de meu filho. Cinquenta mil pessoas foram à praia, cantaram e dançaram. Por motivos de segurança, e por causa da chuva, o show por pouco não foi cancelado. Na véspera, as autoridades permitiram que o evento acontecesse e, à noite, o céu se abriu em estrelas para receber Cazuza, seus amigos e seus fãs. Nenhum incidente foi registrado. Violência zero. Infelizmente, nenhum tostão foi revertido para a instituição.

Nem tudo é perfeito.

Uma semana depois, li, no *Jornal do Brasil*, artigo de Guto Goffi. Não resisti e o transcrevo com autorização do autor:

> São sempre raras as oportunidades de homenagear um amigo em vida ou mesmo depois da morte. A vida, sem maldade premeditada, acaba por separar as pessoas que com você construíram e ajudaram a realizar os grandes sonhos da sua adolescência, talvez os mais importantes e simbólicos de toda a nossa vida.
>
> Conheci Cazuza nessa época em que tudo era possível, sem medos, culpas ou chances de que algo desse errado. Éramos um grupo de jovens andando sempre em bandos de quinze ou vinte, amantes das madrugadas no Baixo Leblon, por onde babamos nos muros, cheios de desejos. Uma juventude doida e ao mesmo tempo saudável, pois curava a ressaca na praia de Ipanema, no Posto 9, tomando cerveja e querendo o carinho que o Sol nos dava, com seu belo espetáculo dos fins de tarde.
>
> Foi uma convivência boa e promissora. A descoberta da vida numa turma cheia de encantos e desencontros. Estávamos todos na mesma nave, indo para um lugar que não importava, pois todas as direções eram curiosas e permitidas. A nossa pequena família do Barão era unida e tinha aquela força implacável de todos por um. Cazuza, que era filho único, de repente ganhou quatro irmãos que o admiravam e o amavam de verdade e, sem saber, o defendiam de todo o mal deste mundo, com um escudo invisível que só a inocência adolescente é capaz de inventar. Nesses longos anos de estrada e rock'n'roll, foram muitos os casos, fatos, histórias e músicas que criamos juntos. Todos esses acontecimentos estão no livro *Barão Vermelho — por que a gente é assim*, que tive o prazer de escrever com outros dois amigos,

um deles o descobridor do Barão e do Cazuza. Mas os anos foram passando, todos foram procurando seus novos caminhos e, sem perceber, esses laços foram quebrados. Mas "o nosso amor a gente inventa", já dizia o grande poeta, "e te ver não é mais tão bacana quanto a semana passada". E foi justo num fim de ano que acabei ficando longe do amigo, no Natal de 1988. Não me lembro bem o motivo de nossa discussão, mas anos depois achei uma carta que enviei, pedindo paz novamente e o amor total de sempre.

Rio de Janeiro, 28/12/1988
Carta a um amigo
Cazuza, neste momento em que te escrevo estou um tanto magoado e com o coração muito apertado. Parece que entre nós pintou algo errado. Nada pior pra mim, que amo o meu amigo, por ele ser mal-interpretado. Não vim me desculpar ou dar explicações com atraso. Gostaria que zerássemos tudo, pois "não é a cicatriz que identifica o ser amado". Queria que você lembrasse de mim da melhor forma possível, pois com relação a você é só o que faço. Tem gente dizendo que sou louco e abusado, e que só faço cuspir para o alto, mas vou me preservar um pouco, pois tem incomodado ao louco ser fofoca na boca de pessoas tão normais. Te peço o máximo de sinceridade e que não guardes pequenos problemas que o incomodem, pois para você neste momento é bom que as coisas andem em ordem. Eu te desejo toda a felicidade do mundo, pois para mim o que realmente importa é te ver bem. Um beijo e um abraço bem apertado do amigo de sempre que, a cada dia, te quer mais, sempre mais...

O pedido de desculpas deu certo, e ainda tivemos dois anos e meio de amizade intensa, até que, em julho de 1990 ele nos deixou órfãos de sua generosidade, de seu grande espírito de luta e de sobrevivência. "Eu te avisei, vai à luta, marca teu ponto na justa, o resto deixa pra lá." Pra outras vidas, para outros mundos, sei lá.

"Não me canso de repetir: ser mãe não é fácil. Filho deveria vir com bula. Não importa o que se faça, sempre vamos errar. Sempre haverá reclamações, recriminações."

Respeito ao ser humano

A ideia de que as crianças que vivem aqui precisam mais do que o respeito da lei sempre norteou o trabalho na Viva Cazuza. Não consigo vê-las sem a complexidade de todos os seres humanos, sem lhes dar amor, carinho e respeito pela individualidade, para além de diversão. Apesar de sermos considerados abrigo, nosso dia a dia não é diferente do de muitas famílias que conheço. Acho que, por isso, os pais dos amigos de nossas crianças e adolescentes também são nossos amigos. Estão presentes, permitem que seus filhos durmam aqui nos fins de semana, que passeiem com a gente, que nossos meninos e meninas frequentem suas casas.

Dificuldades e problemas, todos temos. Mas tentamos incentivar os princípios construtivos de certo e errado. Brigas também fazem parte do cotidiano, mas as crianças aprenderam — e ensinaram — a conviver com a diferença. Quando vêm me falar que vão tirá-las daqui, e transferi-las para famílias substitutas, penso se será suficiente morar numa casa com esse carimbo, esse título, apenas para suprir a carência de quem perdeu o convívio com a família biológica.

Sei que os abrigos estão abarrotados de crianças que não precisam estar ali. Sei que essa estrutura pode ser perversa a ponto de destruir uma pessoa. Mas tenho dificuldade de aceitar que essas mudanças sejam feitas sem avaliação, sem cuidado, sem o devido respeito ao ser humano, representado por um número no processo.

Não acredito em mudanças que não sejam estruturais, que não sejam pensadas, amadurecidas e com uma proposta que não seja massificadora. Não gosto de reformas apenas na aparência. Se gostasse, já teria retirado de meu rosto as marcas que meus setenta e quatro anos deixaram. Não estou criticando as pessoas que fazem plástica, mas acho que minhas ideias correspondem aos fatos.

Curto-circuito no coração

Fui convidada para acompanhar a turnê de Gilberto Gil em 2008. Como era muito longa, pensei em me integrar no meio da aventura, já na Europa. O roteiro era interessante. Viagem de ônibus por pequenas cidades da França, da Suíça e da Itália e, na sequência, ir até o Líbano, país que sempre tive vontade de conhecer. De lá, eles retornariam à Europa, e eu voltaria ao Brasil. Decidi viajar por quinze dias, sem João — um tanto desanimado naquele ano.

Fui com uma amiga, Sandra Fernandes, direto a Paris, e, de lá, de carro, chegamos a Rouen, onde encontramos o grupo. Experiência fantástica. Tenho tudo a ver com o meio musical, sinto-me em casa, principalmente quando se trata de amigos tão queridos. Viajamos em dois ônibus equipados com banheiro e beliches, que chamávamos de quadrado, porque eram apertadinhos. Para deitar e levantar era preciso se jogar e rolar.

Chegamos a viajar vinte horas. Revezávamos entre hotéis e ônibus. Numa das primeiras paradas, em Montreux, na Suíça, encontramos outros artistas brasileiros, e pensei quanto Cazuza teria gostado de participar daquele festival. Como ficaria feliz em se apresentar fora do Brasil. Infelizmente, sua carreira foi curta: oito anos intensos. Faltou tempo.

Ele viajou o tempo todo ao meu lado. Imaginei Cazuza em cada show, em cada palco. Provavelmente, eu não estaria ao seu lado, porque ele dizia que roqueiro não tem mãe. Paramos em Polignano a Mare, linda cidadezinha no sul da Itália, terra de Domenico Modugno, autor de "Volare", uma das canções mais conhecidas e ouvidas no mundo e que Gil incluiu no repertório e cantou lindamente. A cidade é banhada pelo mar Adriático, como tínhamos tempo, decidimos ir à praia.

Ir à praia no Adriático é um programa bem diferente de ir a Ipanema. Para ter acesso, é preciso descer uma escada, depois uma rampa e, ao chegar à praia propriamente dita, a pessoa nota que não tem areia. Mas seixos. Impossível andar descalço. Depois da peregrinação montanha abaixo, encontramos águas cristalinas e geladas, sem ondas. Ficar deitada para tomar sol é quase uma sessão de tortura. Os seixos machucam o corpo, mas vale à pena. É uma experiência.

Quando iniciei o caminho de volta, meu coração parecia que não ia aguentar. Senti um cansaço louco e tive vontade de ficar ali só para não subir aquilo tudo.

Em Beirute, fomos recebidos pelo cônsul brasileiro, nosso amigo Paulo Uchôa. O país me encantou e me impressionou pelo poder de destruição das bombas, dos atentados, das guerras. Muitos prédios detonados e vários outros em reconstrução. Não consigo entender essa capacidade de destruição do homem.

Fiquei surpresa com o conhecimento que eles têm da música brasileira. As pessoas conhecem e cantam. Quando voei de Beirute para a Itália resolvi levantar para esticar as pernas. Parei perto de uma mulher, uma das mais bonitas que já vi, e, como falava em português com os filhos, perguntei de onde era e o que fazia no Líbano. Contou que morava em São Paulo e que havia ido visitar a família. Usava um véu, era religiosa. Disse que ouviu falar da presença de Gilberto Gil no avião. Como Flora, mulher de Gil, estava ao meu lado, fiz as apresentações devidas, e Flora contou que eu era mãe de Cazuza. Os olhos da mulher se encheram de lágrimas, disse que adorava meu filho.

Cazuza não desgrudou de mim em momento algum. No aeroporto, senti-me muito cansada, sem forças para carregar as malas, algo que sobrecarregou minha companheira de viagem. Aliás, a única proibição que os médicos me impuseram foi carregar peso.

Cheguei ao Brasil de madrugada, às cinco da manhã, e senti o co-

"O sistema elétrico que comanda o coração deu pane, curto-circuito. Mais uma ocorrência na minha vida. Acho que amei demais nestes anos, e meu coração pediu arrego."

ração pulando por baixo da roupa. Ao me ver, João me achou ofegante e, mais uma vez, chamou a dra. Loreta. Não deu outra. Depois de vários exames, pus um marca-passo. O sistema elétrico que comanda o coração deu pane, curto-circuito. Mais uma ocorrência na minha vida. Acho que amei demais nestes anos, e meu coração pediu arrego.

Sonho ou realidade?

Quando terminou a sessão de pré-estreia do filme sobre Cazuza, Tiquito, seu afilhado e filho de Sandra de Sá, disse para a mãe que o padrinho tinha nascido e morrido em uma hora e meia. Essa é a sensação que tenho, de fluidez do tempo. Dediquei minha vida aos dois homens que amei, meu marido e meu filho. Já passei dos setenta, ainda me sinto jovem, embora meu corpo não acompanhe minha cabeça.

Tenho a nítida impressão de que minha vida aconteceu num piscar de olhos. Não posso acreditar que Cazuza já esteja morto há tanto tempo e que tantas coisas tenham acontecido depois. Ainda vejo o seu sorriso, ouço a sua voz, sinto o seu cheiro e chego a sentir a sua presença.

Às vezes me surpreendo, em casa, virando a cabeça à procura de sua presença. Ela é quase tão concreta que chego a vê-lo, mas instantaneamente me dou conta de sua ausência. Sinto como se fosse um pêndulo de relógio antigo a balançar num relógio sem ponteiros.

A qualquer lugar que vá, João carrega numa pasta uma fotografia do filho. Cada um de nós o cultua à sua maneira. Consolo ou estratégia de sobrevivência? Ainda não sei, nem quero saber. Para nós, basta o que temos por perto.

Outro dia, acordei no meio da noite e vi Cazuza, ali nos pés de minha cama. Olhei para ele várias vezes, abri e fechei os olhos para ter certeza e, aos poucos, seu rosto foi mudando — estava mais velho, com barba. Depois, olhei de novo e vi uma mulher, já idosa, que deitava a cabeça em seu ombro. Quis acordar João, mas não ousei. Reconheci minha mãe e gostei de saber que ela está com Cazuza.

Não tenho certeza de que tenha sido um sonho, ou se, de fato, o vi. A sensação foi real. É engraçado. Agora me dou conta de que nunca dediquei minha vida a mim mesma. Posso dizer que essa experiência é fonte da minha maior felicidade e da minha dor maior.

"Outro dia, acordei no meio da noite e vi Cazuza, ali nos pés de minha cama. Olhei para ele várias vezes, abri e fechei os olhos para ter certeza e, aos poucos, seu rosto foi mudando — estava mais velho, com barba."

Sandra de Sá e Cazuza

"Ele foi o cara"

Cazuza me deixou de herança alguns amigos com quem me encontro eventualmente. Percebo que, para eles, meu filho ainda faz parte de seus pensamentos — apesar de tanto tempo ausente. Quando comecei a escrever este livro, imaginei que fosse contar apenas o efeito dessa ausência em mim, como me adaptei a ela, o que aconteceu comigo, o que construí nesse período. Mas sinto que meu filho adquiriu vida própria, e o espírito de Cazuza, que deu origem à Viva Cazuza, ronda a mim, a João e a outras pessoas que se pegam lembrando dele, rindo de suas palhaçadas, dando-me a certeza de que ele permanece entre nós.

Fiquei com receio de dividir este espaço com os amigos. Para uma mãe, muitas vezes não é fácil ver o filho sob outra ótica que não a sua. As relações amorosas e de amizade são muito diferentes da relação que se tem com pai e mãe, por mais liberdade que Cazuza tivesse comigo. Não pude evitar que, neste livro, ele revivesse por meio de pessoas que tiveram papel tão importante em sua vida. Sua generosidade se manifestou, e abriu, a pontapés, as portas das recordações dessas pessoas. Afinal, não é à toa que ao chegar perto da maioridade de sua ausência eu me sinta madura para falar dela sob outro ângulo.

Conheci Sandra de Sá antes de Cazuza, quando gravei dois discos. Falava sempre de meu filho, na época fora do Brasil. Quando os dois se conheceram, a amizade foi quase instantânea, como ela nos conta.

Cazuza não pretendia ser o melhor, só queria ser verdadeiro. Sua coragem de assumir fatos dos quais as pessoas tentam fugir era o seu lado mais amável. Ele foi o cara. Ultrapassou a barreira do impossível até o ultimo minuto de vida. Conhecia uma Sandra que eu mesma não conhecia, da mesma forma que eu via um Cazuza sobre o qual ele não falava muito. Era uma sintonia.

Ele foi meu melhor amigo. E sempre tomou conta de mim. No início de nossa amizade, ele ainda não era cantor e compositor. Logo que fiquei grávida, escolhi Cazuza para ser padrinho de meu filho. Certo dia, ele me viu bebendo, tirou o copo da minha mão e me chamou de irresponsável. Quando Tiquito nasceu, Cazuza foi o primeiro a chegar. Algumas pessoas achavam que ele era o pai.

Ele me chamava de Sandra Cristina F., drogada, prostituída [alusão ao livro *Christiane F., drogada, prostituída*, que conta a história da alemã viciada em heroína]. Eu era muito tímida, e ele achava que eu precisava me rebelar, me posicionar profissionalmente. A guitarra e o amplificador dele ficam no quarto do Tiquito, e, às vezes, vejo que meu filho pega a guitarra com carinho e respeito. Também imagino como ele seria com Tiquito, que tem a maior admiração e o maior orgulho pelo padrinho. Quando Cazuza estava doente, gostava de pegar Tiquito e ficar com ele. Era carinhoso e cuidadoso. Numa de suas primeiras internações, levei Tiquito ao hospital, que cantou "Exagerado" para Cazuza — foi muito engraçado.

Numa Copa do Mundo, combinamos de assistir a um jogo do Brasil em Petrópolis, em sua casa da Fazenda Inglesa. Ele me pegaria em casa. Eu morava em Pilares, numa época em que não existia celular. Depois de muita espera, o telefone tocou. Era Cazuza me ligando de um orelhão, para avisar que estava perdido. Ficaria me esperando num bar na Estrada Velha da Pavuna. Quando cheguei, vi a seguinte cena: Cazuza com um surdo pendurado no pescoço e uma negona agarrada nele. Merecia uma foto. Estava a maior festa, e acabamos vendo o jogo ali.

Quando ficou doente, passei um tempo sem vê-lo. Mas, assim que tomei coragem, ele me recebeu reclamando: "Até que enfim, sua filha da puta covarde". Foi mesmo uma covardia horrorosa. Ele deixou frutos. Quando me encontro com os amigos dele, Bebel, Ney, Frejat, tem uma coisa boa, parece que ele faz o elo, dá uma onda.

A mesma coisa é a Sociedade Viva Cazuza. É a história dele que se mantém, são todos os "vivas". Cazuza não está morto, está vivo nessa instituição, nessas crianças, é uma luz que ronda para mostrar o caminho.

Quando você me pergunta do que sinto falta em Cazuza, posso dizer que de tudo. Às vezes, acho estranho pensar que ele esteja morto, pois sua presença é tão forte em tudo que ele deixou que só me dou conta da falta da presença física. Ele norteia minha vida até hoje.

Cazuza e Frejat

"Sua língua parecia lâmina afiada"

Além de parceiro mais constante, foi com Frejat que Cazuza começou a compor. A parceria e a amizade nasceram no Barão Vermelho. Cazuza chamava Frejat carinhosamente de Brow, e, apesar de sua saída do Barão ter mexido com os caminhos que o grupo estava traçando, a amizade superou as dificuldades. Brow fala do amigo:

> Uma coisa que não posso deixar de citar é a importância de Cazuza na luta contra a AIDS. A forma de se expor, de falar da doença abertamente, de não se esconder, foi fundamental para o Brasil encarar a doença de uma maneira diferente daquela em outros lugares do mundo. Acho que ele estaria feliz de ver o resultado positivo da política do governo federal.

Mas penso que ele estaria revoltado com a sucessão de escândalos. Ele tinha uma identidade com o país, e podemos perceber nas músicas "Ideologia" e "Brasil" sua preocupação social. Tenho certeza de que daria prosseguimento a esse tema. Acredito também que estaria muito ligado na MPB, e ocuparia um espaço internacional como artista brasileiro. Não tenho dúvida também de que continuaríamos parceiros, pois tínhamos muita afinidade musical. Nós aprendemos a fazer música juntos e desenvolvemos juntos o gosto por aprimorar o trabalho.

Normalmente Cazuza me dava uma letra e eu musicava, mas tínhamos um bate-bola, uma troca muito rica. Depois que saiu do Barão e começou a carreira-solo, apesar de ter outros parceiros, me procurava quando sabia que uma determinada música precisava da minha personalidade musical.

As parcerias têm sempre um processo de adequação e, no nosso caso, como éramos referência um para o outro, isso era mais fácil. Coloquei música em duas letras de Cazuza depois de ele ter morrido. Uma foi "Poema". Fiquei com ela muito tempo e não conseguia fazer. Já estava sentindo vergonha por causa da Lucinha, mas, depois de passar uma noite em claro, ela saiu inteira, de uma vez só, e ficou ótima. Mas isso é coisa muito rara. A presença de Cazuza faz muita falta na parceria, não me sinto à vontade.

Nós tínhamos uma amizade verdadeira entre dois homens, sem interesse sexual, era aquela coisa de um ligar para o outro para bater papo, falávamos sempre ao telefone. A descoberta desse tipo de amizade foi muito importante para ele, e o encontro com Ezequiel foi positivo. Cazuza articulava o que o Zeca queria dizer e não conseguia. Leve no dia a dia, tinha pureza, era animado, festivo, agregador.

Às vezes, a gente chegava à casa dele e via a lata de lixo cheia de papel. Era prova de que ele estava trabalhando. Mas não mostrava a ninguém antes de terminar. Sempre que ouço Janis Joplin me lembro dele, porque a ouvíamos juntos em seu quarto, quando ele ainda morava com os pais.

Outro dia, fiz um show no interior e um garoto de dez anos estava bem na frente, na fila do gargarejo com o pai. Aí peguei o violão e cantei "Todo amor que houver nessa vida" e percebi que o menino cantou a letra toda. Pensei em como Cazuza teria gostado de estar ali. Acho que ele fez muito sucesso, mas hoje faria ainda mais.

Ele era muito engraçado. Um dia, estávamos saindo de Campinas, onde fizemos um show, e uma menina linda, bem novinha, começou a dar em cima dele. Nós entramos no ônibus e ela foi atrás, falando com ele pela janela. Lá pelas tantas, ele me disse que precisava sair dali, porque estava tendo uma recaída. Acho que ele continuaria o mesmo irreverente, debochado, com uma língua que parecia lâmina afiada. Talvez diminuísse um pouco o exagero, que me preocupava, mas acho que estaria cada vez melhor.

Zeca e Cazuza

"Fiquei aleijado sem Cazuza"

Ezequiel Neves, também conhecido como Zeca, ou O Abominável Ezequiel das Neves, foi o instigador intelectual de Cazuza. Como era tão louco quanto meu filho, não foi difícil se tornarem parceiros em algumas músicas e, principalmente, em muitas loucuras.

"Falar de Cazuza mexe muito comigo", disse-me um dia Ezequiel.

> Ele é a ausência mais presente. Sinto muita falta dele, éramos o avô e o neto armando coisas maravilhosas. Bastava um piscar e o outro compreendia. Era uma verdadeira sintonia. Cazuza tinha o dom, era intuitivo, e trabalhava a intuição. Suas músicas têm imagens muito fortes, ele conseguia domar o transe, a convulsão.
>
> Uma vez, liguei para ele e disse que havia feito uma música toda sozinho — "Não amo ninguém". Ele respondeu que havia adorado o título e que iria até a minha casa para ver. Quando leu, disse que

estava uma merda. No dia seguinte, apareceu com a música pronta. Assim foi essa parceria. Ele era ácido, mas extremamente generoso. Era ciumento, cruel, sedutor. Tinha pavio curto, era oito ou oitenta — muito inseguro, escondia a insegurança na agressividade.

Antes do Barão, ele fez muita merda, posou, fez peça infantil, depois quis ser fotógrafo — era um fotógrafo horroroso. Conheci Cazuza antes de ele fazer parte do Barão Vermelho. Ele lia o que eu escrevia e gostava. Um dia, na Som Livre — ele ia para São Francisco —, resolvemos tomar um porre de Mandrix para nos despedirmos. Ficamos totalmente loucos. Quando ele foi embora, emprestei meus óculos escuros a ele. Três dias depois de ter viajado, Lucinha me ligou para dizer que Cazuza havia deixado uns óculos para mim, que eu já havia dado por perdidos.

Cazuza era autodestrutivo, não podia ver um gelo baiano que jogava o carro em cima. Uma vez, pedi a Cazuza que trouxesse um videocassete para mim, e ele disse que não ia trazer, que se eu quisesse assistir a um vídeo, tinha que ver na casa dele. Falei que achava uma sacanagem, mas ele disse que o vídeo me roubaria dele.

Há um ano, mais ou menos, tive um sonho com ele, e o sonho foi vivíssimo. Quando acordei, e me dei conta de que ele não estava mais aqui, caí em prantos. Não gosto de Deus, tenho muita raiva por ele ter levado Cazuza antes de mim, mas a morte não é corrupta.

Tento imaginar como tem sido para Lucinha e João, mas sei que Cazuza não gostaria que ficássemos pelos cantos choramingando. Ele nasceu chutando a mãe, para que ela não tivesse outros filhos, e hoje o trabalho dela na Viva Cazuza é maravilhoso, não sei como conseguiu dar a volta por cima. Se Cazuza estivesse vivo, teríamos brigado umas quinhentas vezes e feito as pazes um milhão delas. Falta alguém para compartilhar a falta de limite. Fiquei aleijado sem ele.

Exatamente vinte anos depois da morte de Cazuza, Ezequiel Neves morreu, em 7 de julho de 2010.

Nilo Romero

foto: Ana Paula Migliari

"A festa acabou"

Nos intervalos entre trabalho, minha casa, fins de semana com amigos e algumas viagens, mantive o gosto por shows. Sou totalmente MPB por causa de Cazuza, por toda a minha vida com João, que trabalhou no ramo desde os quinze anos, e por eu ter gravado dois discos. De vez em quando, encontro amigos e parceiros de Cazuza e, é inevitável, ele entra na conversa. Nilo Romero, parceiro e amigo, me contou...

> Quando Cazuza saiu do Barão para fazer carreira-solo precisou substituir um músico de seu grupo. Foi aí que recebi um telefonema inesquecível. Lembro de ter reparado que aquele louco que eu encontrava nas noites do Leblon também sabia ser normal, esclarecido e ético. Disse que gostaria que eu tocasse com ele, mas teria que esperar a resposta de outro músico, que havia gravado o disco e tinha prioridade sobre mim. Fiquei feliz por ver o cuidado que ele teve com aquele

músico. Depois, Cazuza me ligou e disse que o músico aceitou outro convite. Nos encontramos no Real Astória para oficializar a minha participação. Saímos do restaurante e esticamos até a sua casa. Nessa primeira vez, pude ver um pouco do estilo de vida de Cazuza. Pra começar, não tinha bebida em casa, só cervejinha. A garrafa de uísque que levamos foi comprada no restaurante. No dia seguinte, quando nos encontramos, todos com dor de cabeça, Cazuza foi o único que se lembrava de uma música que havia sido balbuciada na noite anterior com Rogério Meanda. Ele havia trabalhado na música depois que fomos embora.

Nunca vi Cazuza preocupado em comprar drogas — isso nunca foi o ponto de partida dele. Também não bebia durante o dia e pensava em drogas apenas depois de ter bebido. A bebida não podia faltar quando subia ao palco, ou na hora de compor. Quando bebia, Cazuza ficava com a língua meio pesada. Uma vez, disse que eu queria ser o Frejat, e respondi que ele é quem procurava o Frejat em todos os parceiros. Ele era muito solidário — imagine que tomava uísque nacional para acompanhar a galera, mais dura, e não entrava numa festa se os amigos não entrassem.

Quando foi para a Polygram, assinou contrato com o compromisso de a gravadora pagar a banda por quatro shows. Ele não queria que o pessoal ficasse sem grana. Nunca vi ninguém pensar ou fazer isso. Ele era um cara pra cima — a única vez que o vi falar em doença foi no momento em que assumiu estar com HIV. O Zeca já havia dito nas entrelinhas, mas acho que eu não quis entender.

Quando voltou de Boston, e nos encontramos para falar sobre o novo disco, levei um susto. Estava bem mais magro, mas, depois de meia hora de conversa inteligente e cheio de energia, eu já havia esquecido que ele estava doente. Como não queria perder um segundo, o disco *Ideologia* foi gravado muito rapidamente. Ele tinha urgência, mas era cuidadoso com suas letras. Se não considerava que estavam boas o suficiente, evitava que viessem a público. Era rápido para compor, muito sagaz. Arrisco dizer que se mandassem uma música por dia, ele comporia diariamente. Não tinha distinção de estilo musical, gostava do que era bom, era muito aberto.

Quando morreu, senti que a festa havia acabado, muitas coisas só tinham sentido com ele. Acho que outras pessoas que habitavam aquelas noites no Leblon também pensavam assim. Foi um grande amigo, uma grande alma. Perguntam pra mim se Cazuza era tudo isso mesmo como pessoa, e sempre respondo que ele era muito mais.

George Israel

"Coisa boa não tem época"

George Israel, parceiro de Cazuza em várias músicas, entre elas "Brasil", diz que foi criada em torno de Cazuza uma espécie de fraternidade. Ele conta:

> No lançamento do outro livro da Lucinha, *Cazuza, preciso dizer que te amo*, lembro que encontrei toda a nossa turma. Foi uma festa. Esse encontro me instigou a fazer uma música, "4 letras", bem no estilo de Cazuza.
>
> Ele era uma pessoa que abria muito espaço para os outros. Uma festa na casa dele era uma experiência inusitada, qualquer coisa poderia acontecer. E ele levava tudo com muito humor, escracho e espontaneidade, o que gerava uma efervescência criativa.
>
> As pessoas que estavam em volta dele até hoje mantêm um vínculo. Cazuza era muito carinhoso, sempre me chamava de parcei-

rinho. Quando o Kid Abelha começou, havia certa implicância da imprensa conosco, e Cazuza escreveu um release nos elogiando. Era muito corajoso e generoso — isso era legal nele. Quando via ou ouvia uma coisa de que gostava, falava sobre ela, dava força.

Ele também compunha com pessoas inesperadas, não tinha panelinha, jogava uma luz em cima, dava oportunidade de fazer as coisas acontecerem para os outros também. Isso faz diferença.

Depois que soube que estava doente, Cazuza tentou levar a vida como se nada estivesse acontecendo, e ao mesmo tempo se expunha. Era bacana ver como uma pessoa tida como louca ajudou e ensinou muita gente. Vejo o trabalho da Viva Cazuza como um desdobramento natural dele.

Quando Cazuza saiu do Barão, eu estava morando com o Nilo Romero, que começou a tocar com ele, e aí nos aproximamos. Nilo e eu estávamos pesquisando uma batida de rock com samba, experimentando um som diferente, e Cazuza pediu que fizéssemos uma música. Ele não gostou da primeira versão, disse que queria mais forte — sabia exatamente o que queria. Parece que a música ia puxando a letra, a gente tinha uma noção de que ali havia uma coisa diferente, importante, e aí nasceu "Brasil".

Ele também era muito rápido, tinha um talento danado, não tinha coisa mal escrita, ele sempre dava um acabamento de intérprete. Acho que Cazuza era um grande poeta e não só no contexto dos anos oitenta. Tinha um pé muito forte na MPB, até no jeito de cantar meio Angela Ro Ro, meio Maysa. A última bossa nova que estourou mesmo foi "Faz parte do meu show".

No vídeo do meu casamento, que vejo pouco, tem uma cena que me mobiliza muito: Cazuza já estava bem doente, mas, como era muito festeiro, fez transfusão de sangue para comparecer. No meio da festa, começamos a tocar, ele subiu no palco e cantou "Pro dia nascer feliz". Erramos a letra e depois tomamos champanhe no sapato da noiva. Foi realmente especial.

Meu filho Fred está com dezenove anos. Quando tinha doze,

mostrei as músicas que tinha feito com Cazuza. Depois de um tempo, ele passou a só ouvir Barão e Cazuza. Coisa boa não tem época.

Serginho Dias

"Valeu"

Serginho foi a única pessoa com quem Cazuza teve um relacionamento duradouro. Eu gostava tanto dele que cheguei a perguntar se não queria morar com meu filho. Para mãe careta, isso não é fácil. Mas via em Serginho uma pessoa que, para além de gostar, cuidava de meu filho e lhe dava mais equilíbrio, segurava as loucuras. É Serginho quem conta...

> Cazuza me apresentou um monte de coisas que eu não conhecia, e as que eu já conhecia, ele me mostrou de outra maneira. Ele abria muitas portas e janelas, em todos os sentidos. Era uma pessoa instigante, polêmica, mobilizadora, com muita energia, muita alegria. Ariano, sabia levar as pessoas, tinha um enorme poder de convencimento.
> Nos conhecemos quando fizemos um curso no Circo Voador com Perfeito Fortuna, no corpo cênico Nossa Senhora dos Navegantes. Ele começou a dar em cima de mim e caí logo, mas depois soube

que eu era motivo de uma aposta. Aí já era tarde e ficamos juntos. A gente andava em bando, e a Bebel Gilberto me achava muito caipira, careta, e aconselhou Cazuza a não me namorar, mas ele ficou na minha vida.

Passávamos o dia na praia, no Posto 9, fazíamos teatro, e à noite íamos para o Baixo [Leblon]. Éramos todos muito jovens e tínhamos a vida toda pela frente. O Rio nos anos 1980 era o lugar do desbunde, as pessoas discutiam tudo: vida, namoro, casamento, família, profissão.

A última vez que vi Cazuza, ele já estava muito doente, naquela cama de hospital na casa da Lucinha, e me falou: "Vamos começar tudo outra vez?". Fiquei sem saber o que fazer e o que dizer, por sorte, o Zeca apareceu na porta e me chamou. Fugi, sem dizer nada, e fomos lá para cima, bebemos e fumamos um baseado.

Quando Cazuza fez um disco com o Barão, disse que todas as músicas eram para mim, mas era "Carne de pescoço" mesmo. Ele dizia que eu nunca me livraria dele. Tenho certeza de que hoje ele seria exatamente a mesma pessoa. Acho que ninguém muda a sua essência. Talvez estivesse um pouco mais calmo, mas seria o mesmo irreverente. O que aconteceu, valeu.

"Mas via em Serginho uma pessoa que, para além de gostar, cuidava de meu filho e lhe dava mais equilíbrio, segurava as loucuras."

Epílogo

Embora todas as pessoas e todos os fatos que apareceram neste livro sejam reais, decidi mudar os nomes das crianças por uma questão de respeito e de direito ao sigilo. Ainda sou do tempo em que os livros eram para sempre, e achei melhor deixar que elas cresçam e tomem suas decisões. Quem sabe algumas não me ajudarão no futuro a dar continuidade a esta história? Quanto aos médicos, profissionais de saúde, pacientes adultos e ativistas, mantive seus nomes porque suas identidades não constituem segredo e, acima de tudo, porque desejava expressar meu reconhecimento e minha gratidão a eles.

Se este livro enriquecer um pouco a visão que se tem do início da epidemia da AIDS, e de algum modo contribuir para que se reflita mais sobre a doença e a sua prevenção, eu me darei por realizada. Que sua leitura, apesar de tudo, seja agradável, e dela saiam todos convictos da grandeza e da dignidade de todos aqueles, adultos e crianças, que vivem com o vírus HIV.

CRONOLOGIA DA AIDS

1981

O Centro de Controle de Doenças dos Estados Unidos (CDC) notifica a ocorrência de um câncer raro em homens gays saudáveis, denominado primeiramente de câncer gay.

O jornal *The New York Times* anuncia que 41 homossexuais estão contaminados com o câncer gay.

Em Nova York, oito homens começam a levantar fundos para pesquisa da nova doença e fundam a ONG Gay Mens's Health Crisis (GMHC).

O CDC declara a existência de uma nova doença epidêmica gay — Related Immune Deficiency (GRID).

O *Jornal do Brasil* reproduz a matéria do *The New York Times* com o título "Câncer em homossexuais é pesquisado nos Estados Unidos".

1982

O CDC muda a nomenclatura da nova doença de câncer gay para AIDS (Síndrome da Imunodeficiência Adquirida).

A GMHC cria um serviço telefônico informativo com voluntários e na primeira noite recebe cem telefonemas.

O boletim epidemiológico do Ministério da Saúde do Brasil notifica sete casos de AIDS.

1983

É criada uma Associação Nacional de Pessoas Vivendo com AIDS nos Estados Unidos.

É criado em São Paulo o primeiro programa de AIDS do Brasil.

Morre a primeira pessoa pública brasileira por causa da doença, o estilista e figurinista mineiro Markito, com 31 anos.

1984

O CDC chama a GMHC para ajudar no planejamento da primeira conferência sobre AIDS.

A GMHC publica o primeiro guia de sexo seguro.

Dr. Luc Montagnier, na França, e dr. Robert Gallo, nos Estados Unidos, isolam o novo retrovírus, conhecido depois como HIV (Vírus Humano da Imunodeficiência).

Morre o comissário de bordo canadense Gaetan Dugas, por algum tempo considerado o "paciente zero", a pessoa que "trouxe" a AIDS para os EUA.

O travesti Brenda Lee cria o pensionato Palácio das Princesas, onde inicialmente foram abrigados os travestis soropositivos. Foi a primeira casa de apoio para pessoas que vivem com AIDS de que se tem notícia no Brasil.

1985

Criação do Programa Nacional de DST e AIDS por meio de portaria 236 do Ministério da Saúde.

O ator Rock Hudson revela que tem AIDS e vai para a França tentar um tratamento experimental.

A Food and Drug Administration, ou Agência Federal para Segurança de Medicamentos e Alimentos (FDA), dos Estados Unidos, aprova o uso do primeiro teste-diagnóstico (Elisa), que permite detectar anticorpos contra o HIV.

I Conferência Internacional de AIDS em Atlanta, na Geórgia.

O Departamento de Saúde da cidade de Nova York começa a fechar saunas gays, mas os ativistas contestam dizendo que as saunas são lugares propícios para trabalhar as campanhas de sexo seguro.

Morre Ricky Wilson, guitarrista da banda de rock B-52's.

Morre o ator Rock Hudson.

Constatado o primeiro caso de transmissão mãe-filho no Brasil.

1986

A cidade de Nova York abre o primeiro centro de testes anônimos.

A GMHC faz a primeira caminhada da AIDS em Nova York.

A administração do presidente norte-americano Ronald Reagan publica que a AIDS é uma doença de gays e de usuários de drogas injetáveis.

A GMHC afirma em seus documentos e folhetos que a AIDS já foi diagnosticada em heterossexuais masculinos e femininos, hemofílicos, usuários de drogas injetáveis e crianças.

Criação, pela Organização Mundial de Saúde (OMS), do Special Programme on AIDS, coordenado por Jonathan Mann.

II Conferência Internacional de AIDS em Paris, na França.

Nomeação de Lair Guerra de Macedo Rodrigues para conduzir as atividades nacionais em AIDS.

Criada, no Rio de Janeiro, a Associação Brasileira Interdisciplinar de AIDS (ABIA), a primeira ONG/AIDS a ter uma pessoa assumidamente soropositiva na presidência, Herbert de Souza, o Betinho.

A AIDS passa a ser doença de notificação compulsória no Brasil.

1987

Surge no mercado o AZT, a primeira droga aprovada na luta contra o HIV.

III Conferência Internacional de AIDS em Washington, nos EUA.

Em São Francisco, é feito o primeiro painel para o AIDS Memorial Quilt (Names Project), conhecido no Brasil como Projeto Nomes.

Os EUA aprovam uma legislação que proíbe a entrada no país de pessoas HIV positivas.

É fundado, em Nova York, o grupo ACT UP (AIDS Coalition to Unleash Power).

A OMS informa que o número total de casos de AIDS notificados no mundo é de 62.811.

O *Jornal do Brasil* produz o primeiro especial no país sobre AIDS, no Caderno JB de domingo, com o título "Diário da peste".

Fundação do Gapa/MG e do Gapa/RJ, e realização da primeira reunião dos grupos Gapas em São Paulo.

Divulgação da infecção pelo HIV dos irmãos hemofílicos Chico Mário, Henfil e Herbert de Souza (Betinho).

1988

Morre o artista plástico Darcy Penteado, aos 61 anos.

A camisinha é reconhecida como efetiva na prevenção do HIV por via sexual.

Pela primeira vez, novos casos de AIDS são atribuídos a pessoas que compartilham seringas em Nova York.

IV Conferência Internacional de AIDS em Estocolmo, na Suécia.

Cazuza admite para a *Folha da Tarde*, em entrevista a Zeca Camargo, em Nova York, que foi infectado pelo HIV.

A OMS elege 1º de dezembro como o Dia Mundial de Luta Contra a AIDS.

Início da distribuição de medicamentos para infecções oportunistas pelo Sistema Único de Saúde (SUS).

Morre, no Rio de Janeiro, Henrique de Souza Filho, o Henfil.

Primeira campanha do Programa Nacional de AIDS, chamada "Quem vê cara não vê AIDS", lançada no Carnaval.

Morre, no Rio de Janeiro, Francisco Mário de Figueiredo, Chico Mário, irmão de Henfil e Betinho.

1989

V Conferência Internacional de AIDS em Montreal, no Canadá.

Realização, em Belo Horizonte (MG), em julho, do I Encontro Nacional de ONGS/AIDS.

A revista *Veja* coloca na capa a foto de Cazuza magro e abatido com a chamada "Uma vítima da AIDS agoniza em praça pública".

Morre o ator Lauro Corona, aos 32 anos.

Criação da Declaração dos Direitos das Pessoas Soropositivas.

Morre o dançarino e coreógrafo Alvin Alley.

Morre o cabeleireiro Silvinho.

1990

Ativista na luta contra a AIDS, Ryan White morre aos dezenove anos.

VI Conferência Internacional de AIDS em São Francisco, nos EUA.

Morre em julho, no Rio de Janeiro, o cantor e compositor Cazuza.

Lair Guerra sai da coordenação do Programa Nacional de AIDS.

Eduardo Côrtes assume a coordenação do Programa Nacional de AIDS.

Fundada no Rio de Janeiro a Sociedade Viva Cazuza pelos pais do cantor e compositor Cazuza, ONG destinada a assistência e a prevenção do HIV/AIDS.

A OMS reporta 307 mil casos de AIDS oficialmente notificados em todo o mundo.

Morre de AIDS o artista pop americano Keith Haring.

1991

O jogador de basquete norte-americano, Magic Johnson, comunica que é soropositivo.

VII Conferência Internacional de AIDS em Florença, na Itália.

Morre Freddie Mercury, cantor do grupo de rock Queen, aos 45 anos, menos de 24 horas depois de oficializar que tinha AIDS.

Criação da Global Network of People Living with HIV/AIDS — (GNP+).

Lançado mundialmente o DDI, mais um remédio antirretroviral na luta contra a AIDS.

O laço vermelho se torna o símbolo internacional de conscientização da AIDS.

A OMS anuncia que 10 milhões de pessoas estão infectadas com o vírus HIV no mundo.

É realizado, no Rio de Janeiro, o I Encontro Nacional de Pessoas Vivendo com HIV/AIDS. Lá estiveram reunidas 160 pessoas, que discutiram a terceira epidemia — repercussões sociais, jurídicas e éticas provocadas pelo HIV.

Inicio da distribuição do AZT pelo sistema público de saúde.

1992

Em resposta às pressões dos ativistas, a FDA acelera a aprovação de novas drogas contra a AIDS.

VIII Conferência Internacional de AIDS em Amsterdã, na Holanda.

A FDA aprova o uso de DDC combinado com o AZT para o tratamento de infecções avançadas de AIDS.

Morre Isaac Asimov, escritor de ficção científica, vítima da AIDS, contraída em 1989 por meio de transfusão de sangue durante uma cirurgia cardíaca.

Lair Guerra de Macedo Rodrigues reassume a coordenação do Programa Nacional de AIDS.

Morre, no Rio de Janeiro, Herbert Eustáquio de Carvalho, Herbert Daniel, guerrilheiro, exilado político e líder do movimento homossexual brasileiro (ABIA e Grupo Pela Vidda/RJ).

Morre Paulo César Bonfim, um dos fundadores do Gapa/SP, ativista referência na luta contra a AIDS em São Paulo e no Brasil.

A opinião pública brasileira fica indignada quando a menina

1993

Sheila Cortopassi de Oliveira, de cinco anos, tem a matrícula recusada em uma escola de São Paulo por ser portadora do vírus HIV.

O Conselho Federal de Medicina edita resolução proibindo a realização compulsória de exames anti-HIV e impedindo médicos de revelar a sorologia sem autorização prévia do paciente.

O Estudo Concorde conclui que o AZT não é uma terapia útil para as pessoas HIV positivas que ainda não desenvolveram sintomas.

IX Conferência Internacional de AIDS em Berlim, na Alemanha.

Morre o bailarino russo Rudolf Nureyev.

Morre o tenista norte-americano Arthur Ashe.

Morre Ray Gillen, vocalista da banda Badlands.

Assinatura do primeiro acordo de empréstimo com o Banco Mundial para o Projeto de Controle de AIDS e DST, conhecido como AIDS I.

Morre, em São Paulo, Sheila Cortopassi de Oliveira, garota-símbolo dos direitos da criança soropositiva.

Morre, em Petrópolis, o ator Carlos Augusto Strasser, aos 36 anos.

O AZT começa a ser fabricado no Brasil por um laboratório privado.

1994

O CDC informa que o número de casos de AIDS entre heterossexuais aumentou 130% de 1992 a 1993.

X Conferência Internacional de AIDS em Yokohama, no Japão.

A OMS estima que pelo menos 19,5 milhões de pessoas no mundo estão infectadas com o vírus HIV.

Morre o jornalista Randy Shilts, autor de *And the band played on*, editado na década de 80, e traduzido para o português, em 1990, como *O prazer com risco de vida*. O livro de Shilts foi um dos primeiros relatos sobre como a AIDS afetou a comunidade gay norte-americana.

O ator Tom Hanks ganha o Oscar por representar um homossexual com AIDS no filme *Philadelphia*.

O estudo ACTG 076 mostra redução do risco de transmissão da mãe para o bebê.

Começa a ser estudado um novo grupo de drogas para o tratamento da infecção, os inibidores de protease.

1995

Inauguração da primeira casa de apoio pediátrico do município do Rio de Janeiro pela Sociedade Viva Cazuza.

Criação da Rede Nacional de Pessoas HIV+ (RNP+).

O escritor Caio Fernando Abreu escreve três crônicas, intituladas "Cartas para além do muro", publicadas no jornal *O Estado de S. Paulo*, para comunicar que estava com AIDS.

O CDC anuncia que a AIDS é a principal causa de morte entre norte-americanos com idade entre 24 e 44 anos.

A FDA aprova o Saquinavir, a primeira droga antirretroviral da classe dos inibidores de protease, num prazo recorde de 97 dias.

1996

A XI Conferência Internacional de AIDS, em Vancouver, no Canadá, gera otimismo com os resultados da terapia combinada de antirretrovirais com o uso dos inibidores de protease.

A FDA aprova o teste de carga viral, que mede a quantidade de vírus no sangue.

Transformação do Programa Global de AIDS (Global Programme on AIDS) em Programa Conjunto das Nações Unidas em HIV/AIDS (Joint United Nations Programme on HIV/AIDS, Unaids).

O cientista belga Peter Piot assume a direção executiva da Unaids.

Introdução da Highly Active Antiretroviral Therapy (HAART), que consiste em terapia com diferentes drogas associadas. Torna-se conhecida por *coquetel*.

David Ho, importante pesquisador de AIDS, ganha o prêmio O Homem do Ano da revista *Time*.

Morre o escritor Caio Fernando de Abreu, aos 46 anos.

1997

Morre assassinada, em São Paulo, Brenda Lee, pioneira na assistência a portadores de HIV.

Morre o vocalista do Legião Urbana, Renato Russo.

Lair Guerra de Macedo Rodrigues sofre, em agosto, um grave acidente de carro em Recife e pede licença da coordenação do Programa Nacional de AIDS.

Pedro Chequer assume a coordenação do Programa Nacional de AIDS.

A lei nº 9.313, de 13 de novembro, garante a distribuição gratuita, pelo sistema público de saúde, de medicamentos para pessoa com HIV/AIDS.

Os serviços públicos de saúde distribuem AZT, DDI, DDC, 3TC, Saquinavir e Ritonavir.

A Unaids reconhece, em sua cronologia de vinte anos de HIV/AIDS, o Brasil como o primeiro país em desenvolvimento a distribuir a terapia antirretroviral pelo sistema público de saúde.

Morre, no Rio de Janeiro, Herbert de Souza, o Betinho, vítima de hepatite C.

Morre o ator Thales Pan Chacon.

Pesquisadores descobrem que, mesmo com o coquetel, o HIV se mantém em reservatórios escondidos no organismo.

O Brasil começa a produzir DDC e D4T.

Instalação no Brasil do grupo temático da Unaids.

1998

Inicia-se, nos EUA, o primeiro teste em humanos de uma vacina anti-AIDS.

XII Conferência Internacional de AIDS em Genebra, na Suíça.

Assinatura, em dezembro, do acordo de empréstimo com o Banco Mundial para o Segundo Projeto de Controle da AIDS e DST, conhecido como AIDS II.

Cientistas registram a imagem da estrutura cristalina da proteína gp120 do vírus da AIDS, usada para entrar nas células do sistema imunológico atacadas pelo HIV.

No Brasil, lei define como obrigatória a cobertura de despesas hospitalares com AIDS pelos seguros-saúde privados.

1999

A Unaids estima que 33 milhões de pessoas, em todo o mundo, estão vivendo com HIV/AIDS.

A organização Médicos Sem Fronteiras, que desde 1999 implementa a campanha "Acess to essential medicines", recebe o Prêmio Nobel da Paz.

Manifestação nacional, em setembro, de organizações da sociedade civil com atividades em HIV/AIDS, pede liberação de recursos financeiros para compra de medicamentos para a AIDS. A compra de medicamentos ficou comprometida por causa da desvalorização cambial.

O governo federal divulga que o programa de acesso universal à terapia antirretroviral reduziu em mais de 50% o número de mortes e em quase 80% a ocorrência de doenças oportunistas no país. O efeito se deveu à produção de medicamentos nacionais similares de marca, muito mais baratos.

Estudos indicam que, no momento em que o tratamento com o coquetel é abandonado, a infecção se torna detectável novamente. Pacientes desenvolvem efeitos colaterais aos remédios.

O Ministério da Saúde oferece quinze medicamentos gratuitos na rede pública de saúde.

2000

Cresce a preocupação com os efeitos colaterais dos medicamentos antirretrovirais, e cai por terra a ideia de "bater cedo e forte" no HIV. Critérios para início do tratamento são revistos.

Ganha força a discussão sobre o acesso aos medicamentos nos países pobres, sobretudo no continente africano.

Pedro Chequer sai da coordenação do Programa Nacional de AIDS.

Paulo Roberto Teixeira assume a coordenação do Programa Nacional de AIDS.

Morre aos 47 anos, no Rio de Janeiro, a atriz Sandra Bréa.

Morre, no Rio de Janeiro, José Stalin Pedrosa.

XIII Conferência Internacional de AIDS em Durban, na África do Sul, marca o início de um novo compromisso com a expansão do tratamento de AIDS no continente africano, o mais afetado no mundo.

Ruth Cardoso, a primeira--dama do Brasil, assume, na XIII Conferência Internacional

2001

de AIDS, o compromisso de o governo brasileiro fornecer o tratamento de AIDS gratuitamente aos pacientes.

Aumentam no Brasil os casos de mulheres infectadas pelo HIV. A proporção nacional de casos de AIDS notificados é de uma mulher para cada dois homens.

Em fevereiro, a Organização Mundial do Comércio (OMC) aceita o pedido dos EUA de abrir um painel contra o Brasil. Os EUA questionam a lei de Propriedade Industrial Brasileira (lei nº 9.279, de 14 de maio de 1999), que tem, como principal motivo, a produção nacional de ARVS.

No African Summit for HIV/AIDS, TB and Other Infectious Diseases, realizado em abril na Nigéria, o secretário-geral da ONU, Kofi Anan, propõe a criação de um fundo global para a AIDS e outras doenças infecciosas.

A 57ª Sessão da Comissão de Direitos Humanos da ONU aprova, em abril, a resolução 2001/33, intitulada Acesso a Medicamentos no Contexto de Pandemias como o HIV/AIDS.

A Declaration of Commitment on HIV/AIDS, resultado da Sessão Especial da Assembleia Geral da ONU sobre HIV/AIDS, menciona que 90% dos casos estão nos países subdesenvolvidos.

Em junho, os EUA retiram a queixa contra o Brasil na OMC.

Thabo Mbeki, presidente da África do Sul, nega que o HIV cause a AIDS.

Na The Fourth World Trade Organization Ministerial Conference, realizada em novembro, em Doha, no Qatar, é aprovada uma declaração que torna possível, em situações de emergência nacional em saúde pública, o licenciamento compulsório.

Em fevereiro, o ministro da Saúde, José Serra, ameaça quebrar a patente dos medicamentos Nelfinavir, fabricado pela Roche, e Efivarenz, pela Merk.

O governo Bush recomenda a abstinência como forma de prevenção do HIV.

2002

É criado o Fundo Global de Luta contra AIDS, Tuberculose e Malária (GFATM), a fim de combater as três doenças infecciosas.

XIV Conferência Internacional de AIDS em Barcelona, na Espanha.

A 4.172ª Reunião do Conselho de Segurança da ONU, realizada em julho, aprova a resolução 1.308 (2000), que coloca a AIDS como questão de segurança global.

Em julho, cinco pacientes no Hospital das Clínicas (SP) fazem testes com uma nova droga, o T20. Esse medicamento impede a entrada do vírus HIV nas células de defesa do organismo, local em que se multiplica. Além de brasileiros, existem 450 pacientes em testes em todo o mundo.

O governo Bush para com a distribuição de preservativos que fazia parte do Programa de Combate a AIDS.

A FDA aprova o teste rápido do HIV.

2003

Os EUA aprovam a venda de Fuzeon (T20), por meio da FDA, para adultos e crianças com mais de seis anos.

O Ministério da Saúde lança campanha de ampliação do diagnóstico do HIV (Fique Sabendo).

2004

Pesquisadores anunciam que o uso de três antirretrovirais genéricos numa única pílula é tão eficiente quanto o fabricado por laboratórios originais.

XV Conferência Internacional de AIDS em Bangcoc, na Tailândia.

O Brasil é escolhido pela Unaids para implantar um centro de referência de cooperação técnica em HIV/AIDS entre países desenvolvidos, denominado Centro Internacional de Cooperação Técnica (CICT).

Programa brasileiro anuncia a implantação de testes rápidos para aumento do diagnóstico do HIV.

2005

Aprovado pela Comissão de Constituição e Justiça o projeto de lei que autoriza o governo a suspender as patentes de oito medicamentos usados no tratamento da AIDS, o que torna possível produzir genéricos no país. A medida permite que o governo conceda uma "licença obrigatória" a um laboratório brasileiro para que produza genéricos a preços acessíveis.

O Brasil rejeita acordo com USAID para financiamento de ações de prevenção e tratamento da AIDS por causa da linha retrógrada que os EUA impunham ao governo brasileiro e a ONGS financiadas por eles.

O tema do Dia Mundial de Luta Contra a AIDS no Brasil aborda pela primeira vez a AIDS e o racismo.

2006

A AIDS mata 3 milhões de pessoas por ano. O papa Bento XVI pede a um grupo de teólogos que estude a possibilidade de a Igreja permitir o uso da camisinha. Mas apenas dentro do casamento e quando um dos cônjuges for soropositivo.

XVI Conferência Internacional de AIDS em Toronto, no Canadá.

2008

XVII Conferência Internacional de AIDS na Cidade do México, no México.

O Prêmio Nobel de Medicina é entregue aos franceses Françoise Barré-Sinoussi e Luc Montagnier pela descoberta do HIV, causador da AIDS. O alemão Harald zur Hausen também recebe o prêmio pela descoberta do HPV, que pode provocar câncer de colo de útero.

2009

O Programa Nacional de DST e AIDS torna-se departamento da Secretaria de Vigilância em Saúde do Ministério da Saúde. O Programa Nacional para a Prevenção e Controle das Hepatites Virais é integrado a ele.

Desde o início da epidemia, são notificados 544.846 casos de AIDS no Brasil.

2010

XVIII Conferência Internacional de AIDS em Viena, na Áustria.

O governo do Brasil e o da África do Sul firmam parceria inédita para distribuir 30 mil camisinhas e fôlderes sobre prevenção da AIDS e outras DSTS durante a Copa do Mundo de Futebol.

Fontes:
Programa Nacional de DST/AIDS
Centro de pesquisas históricas IBVV, organizado por David Barros
GMHC — Gay Mens Health Crisis

SOCIEDADE VIVA CAZUZA

Rua Pinheiro Machado, 39 – Laranjeiras
CEP: 22231-090 – Rio de Janeiro/RJ
Telefone: (21) 2551-5368
Email: vivacazuza@vivacazuza.org.br

Toda a arrecadação de direitos autorais deste livro será doada a essa entidade.

Copyright © 2011 by Editora Globo S. A. para a presente edição
Copyright © 2011 by Maria Lúcia Araújo

Todos os direitos reservados. Nenhuma parte desta edição pode ser utilizada ou reproduzida – em qualquer meio ou forma, seja mecânico ou eletrônico, fotocópia, gravação, etc. – nem apropriada ou estocada em sistema de banco de dados, sem a expressa autorização da editora.

Texto fixado conforme as regras do Novo Acordo Ortográfico da Língua Portuguesa (Decreto Legislativo nº 54, de 1995).

Preparação de texto: Ana Tereza Clemente
Revisão: Valquiria Della Pozza
Projeto gráfico, capa e paginação: epizzo
Fotografias: Arquivo pessoal e Adriana Lorete (fotos coloridas)
Foto de capa: Paulo Marcos/Editora Abril

1ª edição, 2011
Impressão e acabamento: Yangraf

Dados Internacionais de Catalogação na Publicação (CIP)
(Câmara Brasileira do Livro, SP, Brasil)

Araújo, Lucinha
   O tempo não para : Viva Cazuza / Lucinha Araújo ; depoimentos à Christina Moreira da Costa ; colaboração de Maria Lúcia Rangel. -- São Paulo : Globo, 2011.

   ISBN 978-85-250-2899-0

   1. AIDS (Doença) - Portadores do vírus 2. Araújo, Lucinha 3. Assistência social 4. Brasil - Fundações e instituições beneficentes 5. Cazuza, 1958-1990 6. Histórias de vida 7. Memórias autobiográficas 8. Projetos sociais 9. Sociedade Viva Cazuza - História I. Costa, Christina Moreira da. II. Rangel, Maria Lúcia. III. Título.

11-04555   CDD-362.1969792

Índices para catálogo sistemático:
1. Brasil : Sociedade Viva Cazuza : Instituição beneficente : Assistência social a carentes portadores do vírus da AIDS : Memórias e histórias de vida 362.1969792

Editora Globo S. A.
Av. Jaguaré, 1485 – 05346-090 – São Paulo – SP
www.globolivros.com.br

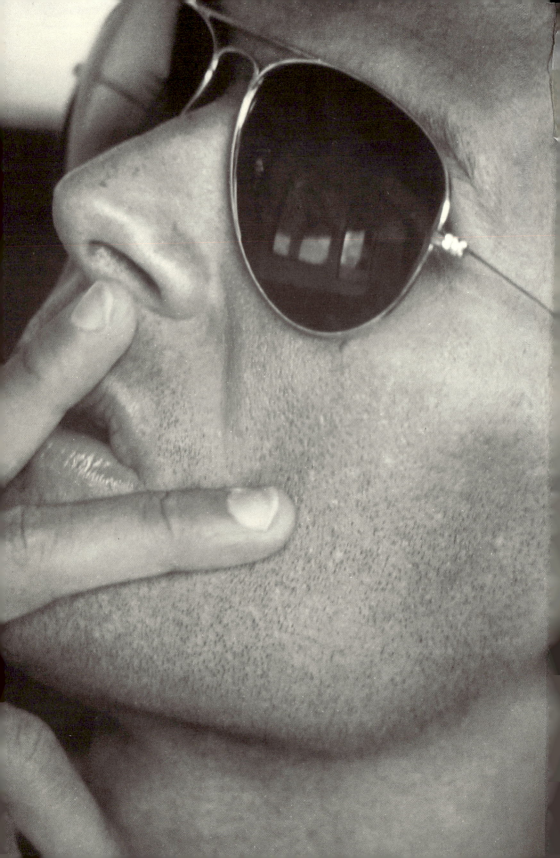